D1280352

ЗАБОРЫ И

И ОКНА Хроники антигл

НАОМИ КЛЯЙН

ализационного движения

ДОБРАЯ КНИГА
МОСКВА 2005

Кляйн Н.

Заборы и окна: Хроники антиглобализационного движения / Пер. с англ. – М.: ООО "Издательство "Добрая книга", 2005 – 304 с. ISBN 5-98124-032-6

Naomi Klein

Fences and windows. Dispatches from the front lines of the globalization debate. — Vintage Canada, 2002.

Перевод с англ.: А.Дорман
Редактор: М.Драпкина
Корректор: А.Калинин
Верстка: М.Аввакумов

«Заборы и окна» – вторая книга известной журналистки Наоми Кляйн, автора международного бестселлера «NO LOGO. Люди против брендов». В книге собраны репортажи, статьи и выступления Наоми Кляйн, в которых автор рассказывает о развитии антикорпоративного и антиглобализационного движения.

Издательство "Добрая книга"
Телефон для оптовых покупателей: (095) 200-2094
Адрес для переписки / e-mail: mail@dkniga.ru
Адрес нашей страницы в сети Интернет: http:// www.dkniga.ru

Книга издана при содействии
ОАО «НАЦИОНАЛЬНЫЙ КОСМИЧЕСКИЙ БАНК»

Сделано в России.
ISBN 5-98124-032-6

ОГЛАВЛЕНИЕ

ПРЕДИСЛОВИЕ

ПРЕДИСЛОВИЕ

ПРЕДИСЛОВИЕ

Ограждающие заборы, окна шансов

Этот сборник — не продолжение *No Logo*, книги о рождении антикорпоративного движения, которую я написала в 1995–1999 годах. То была исследовательская работа, для диссертации, а "Заборы и окна" — это хроника операций на фронте той войны, которая вспыхнула примерно в то самое время, когда издавалась *No Logo*. Книга была в типографии, когда течение, в большей степени подводное, хронику которого она представляла, стало частью общественного сознания индустриального мира — главным образом, в результате протестов против Всемирной торговой организации, проходивших в ноябре 1999 года в Сиэтле. Буквально за один день я оказалась в самой гуще международных дебатов на самую актуальную тему современности: какими ценностями станет руководствоваться век глобализации?

Началось это как двухнедельное книжное турне, а превратилось в приключение, охватившее два с половиной года и двадцать две страны. Меня заносило на заполненные слезоточивым газом улицы Квебека и Праги, на митинги в Буэнос-Айресе, в походы с активистами антиядерного движения в южно-австралийской пустыне и на официальные дебаты с руководителями европейских государств. Четыре года исследовательского затворничества, которые заняла работа над *No Logo*, мало подготовили меня к этому. Хотя газетные репортажи называли меня одним из "лидеров" или "представителей" антиглобализации, на самом деле я никогда не занималась политикой и не очень любила людные сборища. Когда я произносила свою первую речь о глобализации, я опустила глаза на свои записи, начала читать и так и не оторвалась от них все полтора часа.

Но то было не время для застенчивости. Каждый месяц во всё новые демонстрации вливались десятки, а скоро и сотни тысяч людей, многие из которых, как и я, раньше не верили в реальную возможность политических перемен. Впечатление было такое, что вдруг стало невозможно не замечать провалов общепринятой экономической политики — и это еще до скандала с Enron*! Чтобы удовлетворять требования транснациональных инвесторов, правительства по всему миру отказывались удовлетворять потребности избравших их людей. Некоторые из этих потребностей были базовыми и неотложными — в лекарствах, в жилье,

---

* Крупнейшее в истории США банкротство энергетической корпорации Enron в 2001 году. Тысячи людей потеряли свои пенсионные сбережения, которые были вложены в акции компании. Руководящий состав компании обвиняют в завышении в публичных отчётах показателей её деятельности, что привело к искусственному повышению котировок её акций и последующему их краху. Аудиторская компания Arthur Andersen, проводившая аудит Enron, пустила под нож огромное количество документов, дискредитирующих Enron, и сейчас привлечена к суду за чинение препятствий правосудию. Обе фирмы делали весьма щедрые пожертвования на предвыборные кампании политических партий и отдельных кандидатов, одновременно тратя миллионы долларов на лоббирование своих интересов в Конгрессе США.

в земле, в воде; другие — не столь осязаемые — в некоммерческих культурных пространствах для общения, будь то в Интернете, в общественном эфире или на улицах. А в подоплеке всего этого лежало предательство по отношению к фундаментальной предпосылке создания демократических форм правления — их отзывчивость на нужды людей, что и осуществляется с участием самих граждан, а не таких купленных на корню и в принципе нездоровых организаций, как Enron или Международный валютный фонд.

Кризис не признавал государственных границ. Переживавшая бум глобальная экономика, направленная на получение немедленных прибылей, оказывалась неспособной реагировать на все более вопиющие экологические и гуманитарные кризисы. Она не могла, например, отказаться от ископаемых видов топлива в пользу восстановимых источников энергии; она не смогла, несмотря на все посулы и выкручивание рук, искать средства, необходимые, чтобы остановить ВИЧ-эпидемию в Африке; она не захотела поддержать международные усилия по борьбе с голодом и — даже — по-настоящему заняться базовыми вопросами продовольственной безопасности в Европе. Трудно сказать, почему протесты вспыхнули именно тогда — ведь большинство этих социальных и экологических проблем уже десятилетиями носят хронический характер, — но виной тому в известной мере, несомненно, сама глобализация. Раньше, если недофинансировались школы и засорялись водопроводы, в этом винили бездарные финансовые ведомства или открыто коррумпированные правительства. Теперь же, благодаря не знающему границ обмену информацией, такого рода проблемы стали восприниматься как локальные последствия воплощенной в жизнь идеологии глобализации, проводимой в жизнь политиками конкретной страны, но задуманной в некоем центре, в международных учреждениях вроде Всемирной торговой организации, Международного валютного фонда, Всемирного банка.

Ирония ярлыка "антиглобализация", навешенного нашему движению средствами массовой информации, состоит в том, что мы, участники этого движения, превращаем глобализацию в переживаемую реальность еще сильнее, чем руководители транснациональных корпораций. На наших ассамблеях, подобных Всемирному социальному форуму (World Social Forum) в Порто Алегре, на "контрсаммитах" во время совещаний Всемирного банка и в коммуникационных сетях наподобие www.tao.ca и www.indymedia.org, глобализация — это сложный процесс, в котором тысячи людей соединяют друг с другом свои судьбы, просто делясь идеями и рассказывая, как экономические теории отражаются на их повседневной жизни. У этого движения нет лидеров в традиционном смысле слова, а есть люди, захотевшие узнать, понять и передать дальше.

Как и многие, очутившиеся в этой глобальной сети, я пришла туда лишь с ограниченным представлением о неолиберальной экономической науке — в основном с представлениями о том, как живет молодежь в условиях чрезмерного маркетинга и недостаточной занятости в Северной Америке и Европе. Но меня, как и многих других, это движение глобализовало: я прошла ускоренный курс науки о том, во что помешанность на "маркете" выливается для обезземеленных фермеров Бразилии, для учителей в Аргентине, для работников “фаст-фуда” в Италии, для рабочих кофейных плантаций в Мексике, для жителей барачных городков в Южной Африке, для занимающихся телемаркетингом мелких торговцев во Франции, для собирающих помидоры сезонных рабочих во Флориде, для организаторов профсоюзов на Филиппинах и для беспризорников в Торонто — городе, где я живу. Этот сборник — хроника моего ускоренного курса обучения, малая часть того гигантского процесса массового обмена информацией, который наделил множество людей, не получивших дипломов по экономике и международному торговому праву, мужеством участвовать в дебатах о будущем глобальной экономики. Эти обзоры, эссе и речи, написанные для The Globe and Mail, The Guardian, The Los Angeles Times и многих других изданий, я набрасывала то в гостиничных номерах глубокой ночью после акций протеста в Вашингтоне и Мехико; то в Центрах независимых СМИ (Independent Media Centres), то часто и в самолетах. (У меня уже второй ноутбук — сидевший впереди меня пассажир переполненного экономического класса на Air Canada откинул кресло, и я услышала ужасающий хруст.) В этих текстах содержатся самые убийственные аргументы и факты, какие мне только удалось добыть для дебатов с неолиберальными экономистами, а также описания самых волнующих событий, в которых я участвовала на улицах — рядом с другими активистами. Порой эти заметки — поспешная попытка впитать информацию, пришедшую на мой почтовый ящик, или стремление что-то тут же противопоставить новой кампании СМИ, искажающей природу и цели наших акций протеста.

Но почему надо было сшивать лоскуты этих опусов в книгу? Отчасти потому, что за несколько месяцев объявленной Джорджем Бушем-младшим “войны терроризму” создалось впечатление, что нечто закончилось. Некоторые политики (в частности те, чьи позиции попали под критику участников протестов) поспешили заявить, что закончилось не что иное, как само антикорпоративное движение: поднятые им вопросы о провале глобализации легкомысленны, утверждали они, и даже дают пищу “противнику”. На самом же деле эскалация военной силы и репрессий на протяжении последних лет спровоцировала крупнейшие на сегодняшний день акции протеста на улицах Рима, Лондона, Барселоны и Буэнос-Айреса. Она также вдохновила многих активистов, которые раньше выказывали лишь символическое инакомыслие у дверей саммитов, на конкретные действия. В числе таких акций — “живые заграждения” во время противостояния у храма Рождества Христова в Вифлееме и попытки не допустить незаконной депортации беженцев из европейских и австралийских центров для интернированных. Но по мере того как движение входило в эту новую стадию, я осознала, что стала свидетелем экстраординарного события: того самого волнующего момента в истории, когда толпа людей из *реального мира* сокрушила эксклюзивный клуб экспертов, в котором решались наши судьбы. Здесь описано не завершение, а то судьбоносное начало, тот период, который в Северной Америке был обозначен радостным выплеском на улицах Сиэтла и переброшен в новую главу невообразимым кошмаром 11 сентября.

Но не только это заставило меня свести вместе эти страницы. Несколько месяцев тому назад, просматривая эти материалы, в поисках каких-то затерявшихся статистических данных для своей газетной рубрики, я заметила несколько сквозных тем и образов. Чаще всего повторялся образ забора. Он возникал снова и снова: барьеры, отделяющие людей от бывших ранее общественными ресурсов, отрезающие их от столь необходимых им земли и воды, ограничивающие их возможность передвигаться через границы, выражать политическое инакомыслие, выходить на демонстрации в публичных местах и даже — мешающие политикам следовать курсу, который имел бы смысл для избравших их людей.

Некоторые из этих барьеров трудно увидеть, но они существуют. Виртуальный забор воздвигается вокруг школ в Замбии, когда по рекомендации Всемирного банка вводится "абонентская плата", делающая учебу недоступной для миллионов людей. Ограда воздвигается вокруг семейной фермы в Канаде, когда мероприятия правительства превращают мелкомасштабное земледелие в предмет роскоши, становящийся людям не по карману из-за упавших цен на их продукцию и преимущественного развития крупных, индустриальных агрохозяйств. Ограда вырастает вокруг самой идеи демократии, когда Аргентине сообщают, что она не получит займа от Международного валютного фонда, если не будет еще больше урезать расходы на социальные нужды, приватизировать и дальше природные ресурсы, если не прекратит поддержку отечественных производителей, — и все это среди экономического кризиса, углубляемого именно такой практикой. Конечно, эти заборы стары, как сам колониализм. "Подобные ростовщические мероприятия воздвигают шлагбаумы вокруг свободных стран", — писал Эдуардо Галеано во "Вскрытых венах Латинской Америки" (*Open Veins of Latin America*). Он имел в виду условия английского займа Аргентине в 1824 году.

Заборы всегда были принадлежностью капитализма, его единственным средством оградить собственность от потенциальных грабителей, но двойные стандарты, подпирающие эти заборы, становятся в последнее время все более вопиющими. Экспроприация корпоративной собственности оказывается страшнейшим грехом, какой только может совершить любое социалистическое правительство в глазах международных финансовых рынков (спросите Уго Чавеса в Венесуэле или Фиделя Кастро на Кубе). Но защита активов, гарантированная компаниям в сделках свободной торговли, не распространяется на аргентинских граждан, вложивших все свои сбережения в Citibank, Scotiabank и HSBC Holdings и теперь обнаруживших, что все их деньги просто улетучились. Почтительное отношение рынка к частному благосостоянию не охватило собой американских служащих компании Enron, которые оказались отрезаны от своих приватизированных пенсионных фондов и не имели возможности продавать свои акции, в то время как руководители фирмы лихорадочно обналичивали собственные ценные бумаги.

Тем временем некоторые, совершенно необходимые, ограды подвергаются атакам: в гонке приватизации барьеры, существовавшие между частными и публичными пространствами, не позволяли, например, рекламе проникать в школу, интересам прибыли затрагивать здравоохранение, а новым торговым точкам служить исключительно инструментом продвижения для других предприятий того же владельца, — все эти заграждения почти сравнены с землей. На каждом огороженном публичном пространстве был произведен взлом — только для того чтобы его снова огородили, на сей раз рынком.

Под угрозой находится и другой связанный с публичным интересом барьер — тот, что разделяет генетически модифицированные культуры от пока еще не измененных. Семенные корпорации не предотвратили перенос модифицированных семян на соседние поля, их укоренение там и перекрестное опыление. Теперь в разных концах мира употребление немодифицированных продуктов уже не является вариантом выбора, ибо заражен уже весь продовольственный запас.

Ограды, предохраняющие общественный интерес, исчезают быстро. Но те, что ограничивают наши свободы, множатся. Когда я впервые заметила, что образ ограды постоянно возникает в дискуссиях, дебатах и моих собственных статьях, это показалось мне знаменательным. Ведь все последнее десятилетие экономической интеграции подпитывалось посулами крушения барьеров, повышения мобильности и увеличения степеней свободы. Однако через 12 лет после прославленного разрушения берлинской стены нас снова окружают заборы, мы вновь отрезаны друг от друга, от почвы и — от способности представить себе, что может быть по-другому. Экономический процесс, обозначаемый благовидным эвфемизмом "глобализация", ныне проникает в каждый аспект жизни, преобразуя любой род деятельности и каждый природный ресурс в отмеренный и кому-то принадлежащий товар. Как указывает живущий в Гонконге исследователь трудовых отношений Джерард Гринфилд, современная стадия капитализма характеризуется не просто торговлей в традиционном смысле международной продажи еще большего количества разных продуктов. Она характеризуется еще и ненасытной потребностью рынка расширяться посредством отнесения к "продуктам" целых секторов, ранее считавшихся частью "общей собственности" и продаже не подлежавших. Захват публичного частным добрался не только до здравоохранения и образования, но и до идей, генов, семян, которые теперь покупают, патентуют и обносят заборами, и даже до исконной традиционной медицины, растений, воды, и даже до стволовых клеток эмбрионов человека. Сейчас, когда авторские права составляют крупнейшую статью экспорта США (больше, чем промышленные товары и оружие), международное торговое законодательство надо понимать не только в свете снятия тех или иных барьеров, но, более точно, как процесс, который систематически воздвигает новые ограждения — вокруг знания, технологии и приватизированных ресурсов. Именно эти "относящиеся к торговле права интеллектуальной собственности" не позволяют фермерам заново сеять собственные, не запатентованные компанией Monsanto семена, и делают незаконным для слаборазвитых стран производить собственные, более дешевые лекарства — без фирменных названий (generic) для своего нуждающегося населения.

Глобализация стоит ныне перед судом человечества, потому что на другой стороне этих виртуальных заборов находятся рельные люди, отгороженные от школ, больниц, рабочих мест, собственных ферм, домов и поселений. Массовая приватизация и дерегулирование породили армии отгороженных людей, чьи услуги больше никому не нужны, чей образ жизни списан со счетов как "устаревший", чьи базовые потребности остаются неудовлетворенными. Заборы социального отчуждения способны загубить целую индустрию или даже списать за негодностью целую страну, как это случилось с Аргентиной. В случае с Африкой по сути целый континент может оказаться сосланным в глобальный теневой мир, прочь из географии и прочь из новостей, и приоткрываться только во время военных действий, когда на его граждан смотрят как на потенциальных террористов или антиамериканских фанатиков.

На самом же деле на удивление малая часть отгороженных заборами людей прибегает к насилию. Большинство просто переезжает: из сельской местности в город, из страны в страну. Вот тогда-то они и сталкиваются лицом к лицу с ограждениями отнюдь не виртуальными, а такими, что сделаны из железных цепей и колючей проволоки, укреплены бетоном и охраняются пулеметами. Когда я слышу выражение "свободная торговля", то перед глазами встают фабрики, которые я посещала на Филиппинах и в Индонезии, — окруженные заборами, сторожевыми вышками и солдатами, чтобы не просачивалась наружу их высоко субсидируемая продукция, а внутрь — организаторы профсоюзов. Я вспоминаю и о недавней поездке в южно-австралийскую пустыню, в печально знаменитый центр для интернированных Woomera. До ближайшего города от него пятьсот километров; это бывшая военная база, переделанная в приватизированную тюрьму для беженцев и принадлежащая некоему дочернему подразделению американской охранной фирмы Wackenhut. Там, в Woomera, сотни афганских и иракских беженцев, бежавших от угнетения и диктатуры в своих странах, с такой силой стремились к тому, чтобы мир узнал о происходящем за оградой, что устраивали голодовки, прыгали с крыши своих бараков, пили шампунь и зашивали себе рты.

В наши дни газеты полны кошмарных рассказов об ищущих убежища, стремящихся пересечь государственные границы и прячущихся для этого среди товаров — ведь товары обладают гораздо большей мобильностью, чем люди. В декабре 2001 года в контейнере с офисной мебелью были обнаружены тела восьми румынских беженцев, в том числе двоих детей: они задохнулись во время долгого морского пути. В том же году в О-Клере, штат Висконсин, среди аксессуаров для ванных комнат нашли еще два трупа. В 2000 году 54 китайских беженца задохнулись в кузове фуры в английском городе Дувре.

Все эти ограды связаны между собой: реальные, сделанные из стали и колючей проволоки, необходимы для материализации виртуальных, тех, что не допускают ресурсы и блага в руки большинства людей. Охранные фирмы зарабатывают больше всего в городах, где разрыв между богатыми и бедными наибольший — в Иоганнесбурге, Сан-Паулу, Нью-Дели, — торгуя железными заграждениями, бронированными автомобилями, хитроумными системами сигнализации и наемными армиями частных охранников. Бразильцы, например, тратят 4,5 миллиарда долларов

США на частную охрану, а 400-тысячная армия вооруженных наемных полицейских превосходит численностью официальную полицию почти в четыре раза. В глубоко разделенной Южной Африке ежегодные затраты на частную охрану достигли 1,6 миллиарда долларов, что более чем втрое выше годовых правительственных расходов на доступное жилье. Создается впечатление, что огороженные территории, защищающие имущих от неимущих, — это микрокосмы того, что быстро становится глобальным охранным государством: не глобальной деревней, призванной делать ниже стены и барьеры, как нам было обещано, а сетью крепостей, связанных между собой бронированными торговыми коридорами.

Если эта картина выглядит крайним преувеличением, то только потому, что большинство из нас, живущих на Западе, видят эти заборы редко. Но в последние несколько лет некоторые ограды вылезли на всеобщее обозрение — часто, и очень кстати, во время саммитов, на которых эта бесчеловечная модель глобализации получает дальнейшее развитие. Уже стало считаться в порядке вещей: если мировые лидеры хотят собраться вместе и обсудить новую торговую сделку, им придется, защищаясь от общественного гнева, выстроить для себя крепость по последнему слову техники — с танками, слезоточивым газом, брандспойтами и служебными собаками. Когда в апреле 2001 года Квебек принимал у себя Американский саммит (Summit of the Americas), канадское правительство предприняло беспрецедентные меры: выстроило клетку не только вокруг конференц-центра, но и всего центра города, заставив жителей предъявлять официальные документы, чтобы попасть домой или на работу. Есть и другая, тоже популярная методика: устраивать саммиты в труднодоступных местах: встреча Большой восьмерки (G8) 2002 года проходила в канадских Скалистых горах, а совещание ВТО 2001 года — в репрессивном государстве Катар (Персидский залив), эмир которого запрещает политические протесты. "Война с терроризмом" тоже стала забором, за которым можно прятаться участникам саммитов, объясняя, почему проявления общественного недовольства на этот раз невозможны, или еще хуже — проводя угрожающие параллели между легитимным протестом и направленным на разрушение терроризмом.

Но когда я впервые участвовала в контрсаммите, мне запомнилось отчетливое ощущение, что открывается какой-то политический портал — калитка, окно, "трещина в истории", пользуясь прекрасным выражением субкоманданте Маркоса*. Эта брешь не имеет ничего общего с разбитой витриной местного McDonald's, образа, столь излюбленного телевизионными камерами; нет, это было нечто другое — ощущение шанса, порыв свежего воздуха, приток кислорода к мозгу. Эти акции протеста — на самом деле недельные марафоны интенсивного просвещения в глобальной политике, ночных сессий по стратегии синхронного перевода на шесть языков, фестивалей музыки и уличного театра — как шаг в параллельную вселенную. В один миг место действия преобразуется в некий альтернативный глобальный город, где люди общаются друг с другом, а перспектива радикальных перемен поли-

* Лидер мексиканской "Запатистской армии национального освобождения".

тического курса представляется не странной анахроничной идеей, а самой логичной мыслью на свете.

Даже жесткие меры безопасности активисты встраивают в свой протест: заборы, окружающие саммиты, становятся метафорой экономической модели, которая обрекает миллиарды людей на нищету и отверженность. У этих заборов устраиваются стычки — но не только такие, в которых задействованы камни и бутылки: баллоны со слезоточивым газом забрасывают хоккейными клюшками обратно; брандспойтам издевательски противопоставляют водяные пистолеты, а гудящие над головой вертолеты дразнят роем бумажных самолетиков. Во время квебекского Американского саммита группа активистов построила из дерева средневековую метательную машину, подкатила ее к трехметровому забору, возведенному вокруг центра города, и принялась стрелять через "крепостную стену" плюшевыми мишками. В Праге, во время совещания Всемирного банка и Международного валютного фонда, итальянская группа активных действий, получившая название Tute Bianche ("Белые комбинезоны"), решила не противостоять одетой в черное полиции не в столь же угрожающих лыжных масках и банданах: вместо этого они вышли навстречу полицейскому строю в белых спортивных костюмах, нашпигованных резиновыми шинами и пенополистиролом. В противостоянии между Дартом Вейдером и армией "мишленменов"* полиция победить не могла. Тем временем в другой части города на крутой склон, ведущий к конференц-центру, взбиралась группа "розовых фей" в гротескных париках, розовых с серебром

* Дарт Вейдер — персонаж киносериала "Звёздные войны", Michelin Man — персонаж рекламы автомобильных шин.

вечерних нарядах и туфлях на высокой платформе. Эти активисты вполне серьезны в своем желании нарушить существующий экономический порядок, но их тактика отражает решительный отказ влезать в классическую борьбу за власть: их цель не в захвате власти для себя, а в том, чтобы бросить вызов централизации власти в принципе.

Открываются также и другие "окна" — мирные заговоры с целью получить обратно приватизированное общественное пространство. Это и учащаяся молодежь, вышвыривающая рекламные плакаты из классных комнат, обменивающаяся музыкой в компьютерной сети или создающая независимые медийные центры с бесплатным программным обеспечением. Это и тайские крестьяне, выращивающие овощи без химии на полях для гольфа, и обезземеленные бразильские фермеры, сломавшие заборы вокруг бесхозных земель и устроившие на них сельскохозяйственные кооперативы. Это и боливийские рабочие, отменяющие приватизацию своего водоснабжения, и жители южноафриканских поселков, самовольно подключающие к электрическим сетям своих отключенных соседей под девизом "Энергию — людям!". Вернув обратно эти пространства, они их переделывают. В районных ассамблеях, в городских советах, в независимых медийных центрах, в общественно управляемых лесах и на фермах рождается новая культура энергичной, непосредственной демократии, которую питает и укрепляет прямое участие, а не ослабляет и расхолаживает пассивное избирательное право и наблюдение за последствиями.

Несмотря на все усилия приватизации, выясняется, что есть вещи, которые не могут никому принадлежать. Музыка, вода, электричество, идеи обладают природной сопротивляемостью отгораживанию, тенденцией ускользать, перекрестно опыляться, переливаться поверх барьеров, выныривать через открытые окна.

Сейчас, когда я пишу эти строки, еще неясно, что получится из этих освобождающихся пространств, неясно, достанет ли им прочности устоять против атак со стороны полиции и военных сейчас — когда грань между террористом и активистом намеренно размывается. Вопрос о том, что будет дальше, волнует меня, как волнует всех тех, кто участвует в строительстве этого международного движения. Но данная книга — не попытка ответить на все вопросы, а только взгляд на то, как развивалось движение. Я решила не переписывать свои статьи, а лишь внести незначительные поправки, как правило, обозначенные квадратными скобками, уточнив ссылку или добавив довод. Они представлены здесь (более или менее в хронологической последовательности), какими были: открытками, надписанными в острые моменты жизни, черновиками первой главы очень старой и постоянно повторяющейся повести — повести о людях, которые расшатывают пытающиеся сдерживать их барьеры, открывают новые окна и глубоко вдыхают воздух свободы.

I
ОКНА ИНАКОМЫСЛИЯ

[Глава, в которой активисты
сокрушают первые барьеры —
на улицах и у себя в головах]

I

ОКНА ИНАКОМЫСЛИЯ

[Глава, в которой активисты
сокрушают первые барьеры —
на улицах и у себя в головах]

Сиэтл
Первый бал нового движения

Декабрь 1999

“Кто они такие?” — звучит на этой неделе по всей Америке, в интерактивных радиопередачах, в передовицах газет и, более всего, в кулуарах совещания Всемирной торговой организации в Сиэтле.

До совсем недавнего времени торговые переговоры были благообразными событиями с привлечением только экспертов. Не было никаких протестов, не говоря уже о том, чтобы их участники были одеты в костюмы гигантских морских черепах. Но нынешнее совещание ВТО отнюдь не благообразно: в Сиэтле объявлено чрезвычайное положение, улицы выглядят как зона боевых действий, переговоры провалились.

В воздухе носится множество домыслов о том, кто такие эти пятьдесят тысяч активистов в Сиэтле. Кто-то утверждает, что это самозванные радикалы, тоскующие по 1960-м. Или анархисты, склонные только к разрушениям. Или луддиты, выступающие против глобализации, которая уже их поглотила. Майкл Мур, директор ВТО, отзывается о своих оппонентах как о всего лишь себялюбивых протекционистах, стремящихся навредить мировой бедноте.

Некоторое недоумение по поводу политических целей этого протеста можно понять: это первое политическое движение, родившееся на хаотических просторах Интернета. В его рядах нет вертикальной иерархии, способной прояснить общий план, нет общепризнанных лидеров, выдающих готовые броские спичи, никто не знает, что произойдет дальше.

Но одно несомненно: протестующие в Сиэтле — не антиглобалисты; нет, они так же заражены микробом глобализации, как и спецы по торговому праву на официальных совещаниях. Нет, если это новое движение и "анти"-что-нибудь, то оно антикорпоративно, направлено против привычной логики, согласно которой всё, что хорошо для бизнеса — меньше регулирования, больше мобильности, шире доступ, — в итоге выльется во благо для всех остальных.

Корни движения лежат в кампаниях, которые подвергают эту логику сомнению, сосредоточиваясь на ставших известными возмутительных случаях в практике нескольких транснациональных корпораций. Речь идет о правах человека, трудовых отношениях и окружающей среде. У многих молодых участников манифестаций на улицах Сиэтла на этой неделе режутся активистские зубы — в кампаниях против потогонных цехов корпорации Nike, против нарушений прав человека конгломератом Royal Dutch/Shell в дельте Нигера, против генетической перестройки мирового продовольственного снабжения компанией Monsanto. В последние три года эти корпорации стали символом гуманитарных провалов стратегии глобальной экономики, предоставив в итоге активистам свои брендовые названия в качестве контрольно-пропускных пунктов в сокровенный мир ВТО.

Нацеливаясь на глобальные корпорации и их влияние на мир, эта активистская сеть быстро становится самым интернациональным, глобально-связанным из всех существовавших до сих пор движений. Нет больше безликих мексиканских или китайских трудящихся, крадущих "наши" рабочие места, — представители этих трудящихся находятся теперь в тех же списках адресов электронной почты и тех же конференций, что и западные активисты, а многие из них даже приехали на этой неделе в Сиэтл для участия в демонстрациях. Когда протестующие кричат о пороках глобализации, они в большинстве случаев призывают вернуться не к узкому национализму, но расширить границы глобализации, увязать торговлю с трудовым правом, защитой среды и демократией.

Это и отличает молодых активистов Сиэтла от их предшественников. В эпоху Вудстока отказ играть по правилам государства и школы сам по себе воспринимался как политический акт. Теперь же оппоненты ВТО — да и многие из тех, кто называет себя анархистами, — возмущены *недостатком* правил, применимых к корпорациям, а также вопиющими двойными стандартами в применении существующих правил к богатым и бедным странам.

Они приехали в Сиэтл, узнав, что трибуналы ВТО отменяют существующие законы об окружающей среде, поскольку считают их несправедливыми препятствиями торговле, или услышав, что ВТО признала решение Франции запретить нашпигованную гормонами говядину неприемлемым вмешательством в свободный рынок. На суд в Сиэтле вынесена не торговля и не глобализация, а тотальное наступление на право граждан устанавливать правила, которые защищают людей и планету.

Разумеется, все — от президента Клинтона до главы Microsoft Билла Гейтса — объявляют себя сторонниками правил. Всё повернулось так странно, что необходимость "торговли по правилам" сделалась заклинанием эпохи *дерегулирования*. Но ВТО настойчиво стремится, вопреки самой природе, отрезать торговлю от всех и вся ею затрагиваемых — от трудящихся, от окружающей среды, от культуры. Вот почему так неуместно вчерашнее заявление президента Клинтона о том, что противоречия между протестующими и делегатами можно сгладить с помощью мелких компромиссов и консультаций.

Это противостояние — не между глобализаторами и протекционистами, а между двумя радикально различными взглядами на глобализацию, один из которых последние десять лет держит монополию, другой только выходит в свет — это его первый бал.

Вашингтон

Капитализм вылезает из шкафа

Апрель 2000

ДО

В субботу мой приятель Мез садится в автобус на Вашингтон. Я спрашиваю — зачем? Он отвечает напряженно:

— Знаешь что? Я пропустил Сиэтл. А Вашингтон пропускать не собираюсь.

Я и раньше слышала, как люди говорят с такой целеустремленностью, но обычно предметом их страсти бывает какой-нибудь загородный музыкальный фестиваль или недолговечный нью-йоркский спектакль типа "Монологи влагалища" (*The Vagina Monologues*). Но я никогда не слышала, чтобы так говорили о политическом протесте. Особенно о протесте против таких скрипучих бюрократических машин, как Всемирный банк или Международный валютный фонд. И уж точно не тогда, когда их подвергают обстрелу за нечто настолько неэротичное, как десятилетиями тянущаяся политика под названием "реструктурирование".

И, тем не менее, вот они — студенты, и художники, беззарплатные анархисты, рабочие в касках — набиваются в автобусы на всех концах континента. Их карманы и рюкзаки набиты материалами о соотношении расходов на здравоохранение и на обслуживание внешнего долга в Мозамбике (на долги в два с половиной раза больше) и о численности мирового населения, живущего без электричества (два миллиарда).

Четыре месяца назад эта коалиция экологических, профсоюзных и анархических группировок привела к остановке совещания Всемирной торговой организации. В Сиэтле от длиннющего спектра узконаправленных кампаний (одни против оскандалившихся корпораций, таких как Nike или Shell, другие — против диктатур, подобных бирманской) перешли к более структурированной критике регулирующих учреждений, выступающих в качестве рефери в глобальной гонке в пропасть.

Застигнутые врасплох силой и организованностью оппозиции, сторонники ускорения свободной торговли немедленно перешли в наступление, заклеймив протестующих как врагов бедноты. Характерный выпад — журнал The Economist поместил на обложке фотографию голодающего индийского ребенка и заявил, что это и есть тот, кто страдает от этих протестов. Шеф ВТО Майкл Мур совершенно запутался: “Тем, кто утверждает, что мы должны прекратить свою работу, я говорю: скажите это беднякам, скажите отверженным по всему миру, ожидающим от нас помощи”.

Самое отталкивающее и обескураживающее наследие “битвы при Сиэтле” — это то, что ВТО и вообще глобальный капитализм стали рядиться в одежды трагически непонятой программы уничтожения нищеты. Если послушать, что говорят в Женеве, то безбарьерная торговля — это гигантский благотворительный проект, а транснациональные корпорации используют свои заоблачные дивиденды и зарплаты руководства только для того чтобы не обнаруживать своих истинных намерений, а именно: исцелять больных всего мира, повышать зарплаты и спасать леса.

Но ничто не высвечивает лживость этого лицемерного приравнивания нерегулируемой торговли к гуманитарным устремлениям ярче, чем послужной список Всемирного банка и МВФ — они усугубляют мировую нищету своей непоколебимой, чуть ли не мистической верой в экономику "просачивания благ сверху вниз". Всемирный банк ссужает беднейшие и самые нуждающиеся страны деньгами на выстраивание экономических систем, базирующихся на мегапроектах с иностранной собственностью, на земледелии, направленном исключительно на товарные — на вывоз — культуры, на низкооплачиваемом промышленном производстве для экспорта и на спекулятивных финансовых системах. Эти проекты — золотая жила для горнодобывающих, текстильных и сельскохозяйственных транснациональных компаний по всему миру, но во многих странах они также приводят к разорению природы, массовой миграции в городские центры, краху валюты и потогонным рабочим местам безо всяких перспектив.

И тогда являются на сцену Всемирный банк и МВФ со своей бессовестной "помощью" и непременно с дополнительными условиями. На Гаити, например, это был замороженный минимум заработной платы, в Таиланде — снятие ограничений на право иностранцев владеть собственностью в стране, в Мексике — повышение платы за высшее образование. А когда эти новейшие самоограничения снова не приводят к устойчивому экономическому росту, эти страны все равно остаются в зависимости от рекомендаций Всемирного банка и МВФ — они намертво висят у них на крючке своих многослойных долгов.

Когда внимание мира в конце этой недели обратится ко Всемирному банку и МВФ, он найдет серьезное опровержение тому, что протестовавшие в Сиэтле были алчными североамериканскими протекционистами, стремящимися единолично пользоваться плодами экономического бума. Когда члены профсоюзов и защитники окружающей среды вышли на улицу с протестом против стремлений ВТО пересматривать экологические и трудовые нормативы, их задачей не было навязывать развивающимся странам "наши" стандарты. Напротив, это они играли в догонялки с движением за самоопределение, зародившимся в южных регионах мира, где слова "Всемирный банк" не выговаривают, а выплевывают, а аббревиатуру "IMF" ("МВФ") пародийно расшифровывают на плакатах демонстрантов как "I M Fired" ("Я уволен").

После Сиэтла Всемирной торговой организации было сравнительно легко выиграть демагогическую войну. До этих протестов о ВТО вообще мало кто слышал, так что все ее заявления по большей части сомнениям не подвергались. Всемирный же банк и МВФ — совсем другое дело: их чуть задень, и скелеты так и повалятся из их шкафов. Обычно эти скелеты можно было видеть только в бедных странах — разваливающиеся школы и больницы, согнанные со своих земель фермеры, перенаселенные города, загрязненные системы водоснабжения. Но в конце этой недели все изменится: скелеты отправятся вслед за банкирами в их офисы в Вашингтоне.

ПОСЛЕ

Ладно, виновата. Проспала.

Я приехала в Вашингтон протестовать против Всемирного банка и Международного валютного фонда, но когда мой мобильник зазвонил в совершенно немыслимое время, и я услышала, что планы изменились и мы встречаемся в 4 часа утра в понедельник, я просто не смогла.

— Хорошо, встретимся на месте, — пробормотала я и накорябала непишущей ручкой на бумаге название перекрещивающихся улиц. Но об этом не могло быть и речи. Полностью обессиленная тринадцатью часами, проведенными на улице накануне, я решила, что наверстаю упущенное на демонстрациях в более человеческие часы. Также, похоже, решили несколько тысяч других людей, позволив делегатам совещания Всемирного банка, которых привезли на автобусах до рассвета, добраться до места совещания с миром в затуманенных глазах.

"Поражение!" — закричали многие газеты, которым уже не терпелось покончить с этим взрывом непричесанной демократии.

Канадский экспатриант в Вашингтоне Дэвид Фрам едва успел добежать до своего компьютера, чтобы объявить протест "провалом", "катастрофой" и в большой мере "паром, ушедшим в свисток". По вычислениям Фрама, активисты были настолько обескуражены своей неспособностью сорвать воскресное совещание МВФ, что назавтра предпочли теплую постель дождливой улице.

Это правда. Вытащить свое тело из постели в понедельник было действительно трудно, но не из-за дождя или полицейских.

Это было трудно потому, что к этому времени, за неделю протестов, было достигнуто так много. Сорвать совещание — этим вправе похвастать любой активист, но реальные победы происходят на периферии этих драматических событий.

Первое знамение победы явилось за несколько недель до протеста, когда бывшие чиновники Всемирного банка и МВФ стали спешно переходить на сторону критиков и осуждать бывшее свое начальство. Самый заметный из таких случаев — когда бывший главный экономист Всемирного банка Джозеф Стиглиц сказал, что МВФ остро нуждается в мощной дозе демократии и прозрачности.

Затем пошла на уступки одна корпорация. Организаторы акции протеста объявили, что понесут свои лозунги "справедливой торговли" вместо "свободной торговли" к дверям кофейной сети Starbucks с требованием, чтобы там торговали кофе, выращенным фермерами, получающими зарплату не менее прожиточного минимума. На прошлой неделе, всего за четыре дня до запланированного протеста, Starbucks объявила, что отныне в ее меню будет линия кофе, сертифицированного на предмет справедливой торговли; это не потрясающая основы победа, но хотя бы знамение времени.

И наконец, протестующие определили терминологию полемики. Не успели еще просохнуть гигантские марионетки из папье-маше, а о провалах многих финансируемых Всемирным банком мегапроектов и программ помощи МВФ уже рассказывали в газетах и радиопередачах. И даже более того, произошел громогласный, как музыка Сантаны, возврат критики "капитализма".

Радикально-анархистский контингент под названием "Черный блок" переименовал себя в "Антикапиталистический блок". Студенты колледжа написали мелом на тротуаре: "Если вы думаете, что ВМФ и Всемирный банк — это страшно, погодите, пока услышите о капитализме". Члены студенческого братства "Американский университет" вторили лозунгам, написанным на вывешенных в окнах плакатах: "Капитализм принес вам процветание. Обнимайтесь с ним!". Даже воскресные умники на CNN начали произносить слово "капитализм" вместо просто "экономики". А на первой полосе вчерашней New York Times оно появилось даже дважды. После десяти с лишним лет безудержного триумфаторства капитализм (как альтернатива всяческим эвфемизмам — "глобализация", "корпоративное правление", "растущая пропасть между богатыми и бедными") снова стал правомочным предметом публичных дебатов. Такого рода воздействие настолько важно, что на его фоне срыв-несрыв очередного совещания Всемирного банка выглядит почти неактуальным. Сама повестка дня того совещания и последующей пресс-конференции была решительно взята на абордаж. Вместо обычных разговоров о дерегулировании, приватизации и необходимости "дисциплинировать" рынки третьего мира зазвучали обязательства ускорить облегчение долгового бремени для обнищавших стран и потратить "неограниченные" суммы на африканский кризис СПИДа.

Это, конечно, только начало долгого процесса. Но если вынести из событий в Вашингтоне какой-то урок, то он заключается в том, что баррикады можно штурмовать духовно, а не только физически. И в понедельник проспали не разбитые усталостью побежденные — это был заслуженный отдых победителей.

Что дальше?

Движение против глобальных корпораций, чтобы быть эффективным, не нуждается в программе из десяти пунктов

Июль 2000

"Эта конференция не похожа на другие конференции".

Это говорили всем выступающим на "Переосмыслении политики и общества" еще до того, как мы прибыли в нью-йоркскую церковь на Риверсайде. Обращаясь к делегатам (их собралось в эти майские три дня около тысячи), мы старались решить одну очень конкретную проблему: отсутствие "единства видения и стратегии", направляющих движение против глобального корпоратизма.

Это очень серьезная проблема, говорили нам. Молодых активистов, ездивших в Сиэтл "глушить" Всемирную торговую организацию и в Вашингтон протестовать против Всемирного банка и Международного валютного фонда, молотили в прессе как безмозглых дикарей, одетых в овечьи шкуры, украшенных ветвями и бьющих в тамтамы. Наша миссия, согласно организаторам конференции из Foundation for Ethics and Meaning (Фонда за нравственность и осмысленность), — вылепить из этого уличного хаоса некую как бы структурированную, удобную для СМИ форму. Это не просто очередная говорильня, внушали нам. Мы собирались "создать объединенное движение за холистические социальные, экономические и политические перемены".

Заглядывая по очереди во все лекционные залы, стараясь впитать то видение, которое предлагали мне Арианна Хаффингтон*, Майкл Лернер**, Дэвид Кортен***, Корнел Уэст**** и десятки других, я задумывалась о тщете этих усилий, предпринимаемых из самых благих побуждений. Даже если мы сумеем сочинить программу из десяти пунктов — блестящую в своей ясности, элегантную в своей последовательности, единую в видении перспектив, — кому именно вручим мы эти заповеди? Антикорпоративное движение протеста, привлекшее к себе внимание мира на улицах Сиэтла в ноябре прошлого года, не объединено никакой политической партией или общенациональной сетью с главной штаб-квартирой, ежегодными выборами, нижестоящими ячейками и местными организациями. Его формируют идеи местных организаторов и интеллектуалов, ни один из которых не рассматривается как лидер. В этой аморфной обстановке идеи и планы, вынашиваемые в церкви на Риверсайд, были не то чтобы неактуальны, но не так важны, как хотелось бы. Им было суждено не стать политической линией активистов, а быть подхваченными и унесенными в потоке информации — в интернет-дневниках, в манифестах неправительственных организаций

---

* Журналистка, политический обозреватель крупнейших американских изданий.

** Раввин, публицист, автор многих книг.

*** Автор бестселлера *When Corporations Rule the World* и многих других книг о глобализации.

**** Профессор религиоведения и африковедения в Принстонском университете, автор многих книг о расовых взаимоотношениях и др.

(NGO), в курсовых работах, в самодельных видеофильмах, в cris de coeur*, — которые глобальная антикорпоративная сеть производит и потребляет повседневно.

У критики, настойчиво утверждающей, что у этих ребятишек на улицах нет ясно обозначенных лидеров, есть оборотная сторона — отсутствие ясно обозначенных последователей. В глазах тех, кто ищет сходство с событиями 1960-х годов, это отсутствие делает антикорпоративное движение возмутительно пассивным: похоже, эти люди так плохо организованы, что не могут собраться и отреагировать на столь высоко организованные попытки их организовать. Так и слышишь из уст старой гвардии: это активисты, оторванные от груди MTV: разрозненные, непрямолинейные, несосредоточенные.

На такую критику легко поддаться. Если и есть нечто, в чем левые и правые могут согласиться, то это высокая ценность ясного, хорошо структурированного идеологического аргумента. Но может быть, все не так просто. Может быть, протесты в Сиэтле и Вашингтоне кажутся несфокусированными потому, что были не демонстрацией одного движения, но конвергенцией многих более мелких, и каждое — со своим зрением, натренированным на одну конкретную транснациональную корпорацию (как Nike), конкретную отрасль (как агробизнес) или новую торговую инициативу (как Зона свободной торговли Американских государств — Free Trade Area of the Americas, FTAA). Эти мелкие, целевые движения являются очевидными частями одного обще-

---

* "Крики сердца" (фр.).

го дела: им всем свойственна убежденность, что проблемы, с которыми они борются, при всем своем различии, проистекают из глобализации, которая сосредоточивает все больше власти и богатства во все менее многочисленных руках. Разумеется, у них есть разногласия — о роли национального государства, об исправимости капитализма, о быстроте возможных перемен. Но в рамках этих миниатюрных движений существует полное согласие в том, что децентрализация власти и выстраивание системы принятия решений на местном уровне — будь то через профсоюзы, округа, фермы, деревни, анархистские коллективы или самоуправление коренного населения — необходимые условия для противостояния мощи транснациональных корпораций.

Несмотря на такую общую почву, в единое движение эти группы и направления не слились. Скорее, они причудливо и тесно сплетены между собой, подобно тому, как "горячие ссылки" (hotlinks) соединяют в Интернете свои веб-сайты. Это не случайная аналогия, а скорее ключ к пониманию изменяющейся природы политической организации. Хотя многие отмечают, что недавние массовые акции протеста были бы невозможны без Интернета, осталось незамеченным то, как коммуникационная технология, делающая возможными эти компании, придает движению свой собственный "интернетоподобный" образ. Благодаря сети мобилизация происходит почти без бюрократизма и с минимальной иерархией; навязываемый консенсус и тщательно разработанные манифесты уходят на задний план и заменяются культурой постоянного, не жестко структурированного и порой маниакального обмена информацией.

Что же происходило на улицах Сиэтла и Вашингтона? Политическая деятельность в такой форме, которая отражает органичные, децентрализованные, взаимосвязанные пути Интернета, — Интернет оживший.

Расположенный в Вашингтоне исследовательский центр TeleGeography взялся разобрать архитектуру Интернета, как если бы он был солнечной системой. Недавно TeleGeography объявил, что Интернет — не одна гигантская паутина, а сеть "узлов и связей" (hubs-and-spokes). Узлы — это центры деятельности, а связи — независимые, но взаимосвязанные с другими узлами звенья.

Это представляется точным описанием протестов в Сиэтле и Вашингтоне. Массовые конвергенции были активистскими узлами, в которые соединены сотни, а, может быть, тысячи автономных связей. Во время демонстраций "связи" принимали форму "клубов единомышленников", состоящих из пяти — двадцати участников, и каждый избирал себе представителя и делегировал на совещания "представительских советов". Хотя эти "клубы единомышленников" согласились подчиняться определенному кодексу принципов ненасилия, они, в то же время, действовали как дискретные единицы, которые могли принимать собственные стратегические решения. На некоторых манифестациях как символ своего движения активисты носят транспаранты в виде матерчатой паутины. Когда настает время митинга, они укладывают паутину на землю и вызывают "все связи в сети", и тогда структура становится залом заседания в масштабах улицы.

За четыре года, предшествовавших Сиэтлу и Вашингтону, подобные "осевые" события происходили у дверей саммитов Всемирной торговой организации, Большой семерки и Азиатско-Тихоокеанского экономического сообщества в Окленде, Ванкувере, Маниле, Бирмингеме, Лондоне, Женеве, Куала-Лумпуре и Кельне. Каждая из этих акций протеста была организована по принципу координированной децентрализации. Они не представляли собой единого фронта: мелкие подразделения протестующих атаковали своих противников со всех сторон. Они не выстраивали сложных национальных или интернациональных бюрократических структур, а сооружали временные: заброшенные здания превращались в "центры слияния", а независимые продюсеры СМИ собирали импровизированные центры новостей. За этими демонстрациями стояли специально создаваемые для данного случая временные коалиции, которые часто называли себя по дате планировавшихся мероприятий: J18, N30, A16 и — на предстоящее 26 сентября совещание МВФ в Праге — S26. По окончании мероприятий от этих коалиций практически не остается и следа — только архивированный веб-сайт.

Все эти разговоры о радикальной децентрализации могут скрывать весьма реальную иерархию, основанную на тех, кто владеет, понимает и контролирует компьютерные сети, соединяющие активистов друг с другом. Это именно то, что Джесси Герш, один из основателей анархистской компьютерной сети Tao Communications, называет "отвратной адхоккратией*".

Модель осей и спиц — это больше чем тактика, используемая в акциях протеста; сами акции строятся как "коалиции коалиций",

* От ad hoc (лат.), создаваемое на данный случай.

по выражению Кевина Данахера из Global Exchange. Каждая антикорпоративная кампания — затея множества групп, по большей части неправительственных организаций (NGO), профсоюзов, студентов и анархистов. Они используют Интернет, наряду с более традиционными организационными средствами, для многих целей: от составления каталога новейших прегрешений Всемирного банка и бомбардировки Shell Oil факсами и электронными посланиями до распределения готовых к загрузке и распечатке "антипотогонных" листовок для акций протеста в Nike Town (Найкигороде). Группы остаются анонимными, но их международная координация очень искусна и для их противников часто губительна.

Обвинение антикорпоративного движения в том, что у него нет "видения", рассыпается, если рассмотреть его в контексте этих кампаний. Бесспорно, массовые протесты в Сиэтле и Вашингтоне были мешаниной лозунгов и направлений, и стороннему наблюдателю трудно расшифровать связь между тем, в каких условиях содержится в США ожидающий казни Мумия Абу-Джамаль, и судьбой морских черепах. Но критики — в своих попытках найти структуру в этих крупномасштабных демонстрациях силы — принимают за само движение его внешние проявления: за людьми, одетыми как деревья, не видят леса.

Студенческое "антипотогонное" движение, например, быстро перешло от простой критики компаний и администрации кампусов к выработке альтернативных кодексов поведения и созданию квазирегулирующего органа — "Консорциума прав трудящихся" в сотрудничестве с активистами рабочего движения "Глобального Юга". Движение против генной инженерии и модификации продуктов питания шагает от победы к победе: сначала оно добилось удаления многих генетически модифицированных продуктов с полок британских супермаркетов, потом — принятия в Европе законов о наклейках на таких продуктах, далее сделало огромные шаги с Монреальским протоколом по биобезопасности. Тем временем, противники осуществляемых Всемирным банком и МВФ моделей развития по критериям экспортируемости набили множество книжных полок материалами о моделях развития по местным критериям, о земельной реформе, о списании долгов и принципах самоуправления. Критики нефтяной и горнодобывающей промышленности фонтанируют идеями о неиссякаемых источниках энергии и ответственной добыче ископаемых, хотя им редко выпадает шанс осуществить свое видение на практике.

Тот факт, что эти кампании так децентрализованы, не означает, что они не связаны. Их децентрализованность — это, скорее, разумная и даже остроумная адаптация и к существующей с самого начала фрагментации сети прогрессивных движений, и к переменам в культуре в более широком смысле. Это побочный продукт бурного роста неправительственных организаций (NGO), которые со времени саммита 1992 года в Рио постоянно набирают силу и влияние. В антикорпоративных кампаниях участвует так много NGO, что совместить все многообразие их стилей, тактик и целей может только модель "узлы и связи". Как и сам Интернет, сети NGO и клубов единомышленников — системы, способные расширяться до бесконечности. Если кто-то чувствует, что не вписывается ни в одну из существующих тридцати тысяч NGO и ни в один из тысяч клубов единомышленников, он может создать свою собственную и включиться в общую сеть. Сделавшись участником, никто не обязан жертвовать своей индивидуальностью и подчинять ее более крупной структуре; как и в Сети, мы можем нырять и выныривать, брать то, что хотим, и стирать то, что нам не нужно. Временами этот подход к активизму напоминает поведение завзятого интернетчика — он отражает парадоксальную культуру Интернета: крайний нарциссизм вкупе с острой потребностью в сообществе и связях.

Но при всем том, что подобная структура движения является отчасти отражением базирующихся на Интернете методов организации, она также является реакцией на ту самую политическую реальность, которая, собственно, и вызвала эти процессы к жизни, — полный провал традиционной политики посредством партий. По всему миру граждане голосуют за социально-демократические и рабочие партии только для того, чтобы потом наблюдать, как те расписываются в собственном бессилии перед лицом рыночных сил и диктата МВФ. В таких условиях современные активисты уже не столь наивны, чтобы верить, будто перемены придут через избирательную урну. Именно поэтому им гораздо интереснее бросать вызов самим механизмам, которые делают демократию беззубой, — вроде финансирования предвыборных кампаний корпорациями и способности ВТО попирать национальный суверенитет. Из всех этих механизмов самые острые споры вызывает проводимая МВФ политика структурного регулирования — открытые требования к правительствам о сокращении социальных расходов и приватизации ресурсов в обмен на займы.

Как показала практика, одна из сильнейших сторон такой модели организации протестного движения по принципу невмешательства сверху — то, что ее чрезвычайно трудно контролировать, во многом потому, что она так отличается от организационных принципов учреждений и корпораций, на которые нацелена. На корпоративную концентрацию она отвечает собственной фрагментацией, на глобализацию — своим особым родом локализации, на консолидацию власти — радикальным ее рассредоточением.

Джошуа Карлинер, руководитель Transnational Resource and Action Center, называет эту систему "непреднамеренной, но блестящей реакцией на глобализацию". А поскольку она непреднамеренна, у нас все еще нет словаря для ее описания, и, вероятно, для заполнения этой бреши и возникла целая индустрия довольно забавной метафористики. Мой вклад в нее — узлы и связи, а Мод Барлоу, руководитель Council of Canadians, говорит так: "Мы противостоим глыбе. Сдвинуть ее мы не можем, а пытаемся пролезть под ней, обойти, перелезть поверху". Британский активист Джон Джордан, входящий в движение Reclaim the Streets, утверждает, что транснациональные корпорации — "как гигантские танкеры, а мы — как косяк рыбы. Поэтому мы можем реагировать быстро, а они — нет". Работающая в США Free Burma Coalition (Коалиция свободной Бирмы) говорит о сети "пауков", плетущих паутину достаточно крепкую, чтобы повязать самые мощные транснациональные компании. В дело пошел даже военный отчет США о выступлении запатистов в Чьяпасе, Мексика. Согласно исследованию, проведенному RAND, исследовательским институтом, выполняющим заказы для армии США, запатисты начали “блошиную войну”, которая благодаря Интернету и глобальной сети NGO превратилась в “войну пчелиного роя”. С военной точки зрения, трудность войны с пчелиным роем, отмечает исследователь, в том, что у него нет “центрального руководства и командной структуры; он многоголов, и его невозможно обезглавить”.

Понятно, что у такой многоголовой системы есть свои слабости, и они в полной мере проявились на улицах Вашингтона во время протестов против Всемирного банка и МВФ. 16 апреля, в полдень, в день самой крупной акции протеста, состоялось совещание Совета представителей клубов единомышленников. Активисты в это время блокировали перекрестки всех улиц, окружающих штаб-квартиры Всемирного банка и МВФ. Перекрестки блокировались с 6 часов утра, но делегаты, как только что узнали участники протеста, проскользнули за полицейские заграждения еще до 5 часов. Получив эту новую информацию, большинство представителей сочли, что пора снимать блокаду и присоединяться к общему маршу на Эллипсе*. Проблема состояла в том, что общего согласия не было: некоторые клубы хотели попробовать заблокировать делегатов на выходе с заседаний.

Компромисс, к которому пришел совет, характерен. “Так, слушайте сюда, — прокричал в мегафон Кевин Данахер, один из организаторов протеста. — Каждый перекресток — автономный. Если данный перекресток хочет оставаться закрытым — отлично. Если хочет на Эллипс — тоже хорошо. Решать вам”.

---

* Площадь перед Белым домом.

Это было безукоризненно справедливо и демократично, если не считать одной проблемы: это было абсолютно бессмысленно. Запечатывание всех входов было координированной акцией. Если часть перекрестков теперь открывалась, а другую часть продолжали блокировать, делегаты на пути с заседаний могли свернуть налево, а не направо — и они свободны. Что, естественно, и случилось.

Когда я наблюдала, как группы протестующих поднимались и брели прочь, тогда как другие несмотря ни на что продолжали охранять, прямо скажем, пустоту, все это увиделось мне лучшей метафорой сильных и слабых сторон этой нарождающейся сети политической активности. Нет сомнения: коммуникационная культура, царящая в Интернете, более сильна своей быстротой и охватом, чем синтезом. Она способна собрать десятки тысяч людей с плакатами в руках на одном перекрестке, но гораздо меньше приспособлена к тому, чтобы помочь этим самым людям сойтись в формулировке своих требований — прежде чем выйти на баррикады или после ухода с них.

Вот почему после каждой демонстрации людьми овладевает некое беспокойство: получилось ли? Когда снова? Получится ли так, как сейчас, придет ли столько народу? Чтобы наступательный порыв не угасал, быстро формируется культура последовательных акций. Мой почтовый ящик набит приглашениями на мероприятия, которые обещают стать "вторым Сиэтлом". В июне 2000 года приглашают в Виндзор и Детройт для "закрытия" Организации американских государств; через неделю — в Калгари, там Всемирный нефтяной конгресс; съезд республиканской партии в Филадельфии в июле и демократической в Лос-Анджелесе в августе; азиатско-тихоокеанский саммит Всемирного экономического форума в Мельбурне 11 сентября; тут же, 26 сентября, демонстрации против МВФ в Праге, в апреле 2001 г. саммит американских государств в Квебеке. Кто-то разослал по адресам участников вашингтонских демонстраций послание: "Куда бы они ни отправлялись, мы должны быть там! После этого — увидимся в Праге!" Этого ли мы хотим — движения "охотников за заседаниями", следующих за торговыми бюрократами?

Эта перспектива опасна по нескольким причинам. На протесты возлагаются чересчур большие надежды. Организаторы вашингтонской демонстрации, например, объявили, что в буквальном смысле слова "закроют" две транснациональные корпорации, стоящие 30 миллиардов долларов, одновременно пытаясь донести до публики хитромудрые тезисы об ошибочности неолиберальной экономики, с удовольствием размещающей свои деньги в акциях этих транснационалов. Ничего, конечно, не вышло; никакая демонстрация на это не способна, и чем дальше, тем это будет труднее. Тактика активных действий сработала в Сиэтле, потому что полиция была застигнута врасплох. Второй раз этого не случится. Полиция уже подписалась на каталог адресов электронной почты. Муниципалитет Лос-Анджелеса уже запросил 4 миллиона долларов на новое охранное оборудование и жалование охранникам для защиты города от отрядов активистов.

В попытке построить стабильную политическую структуру, которая способствовала бы развитию движения в промежутках между акциями, Данахер начал собирать средства на "постоянный центр конвергенции" в Вашингтоне. Тем временем, Международный форум по проблемам глобализации (International Forum on Globalization, IFG) с самого марта заседает в надежде до конца года выпустить политический документ, состоящий из двухсот страниц. Как говорит директор IFG Джерри Мендер, это будет не манифест, а набор принципов и приоритетных задач, ранняя попытка, по его словам, "определения новой архитектуры" глобальной экономики. (Выпуск документа много раз откладывался; к моменту выхода этой книги он так и не появился.)

Однако этим инициативам, как и организаторам конференции в церкви на Риверсайде, предстоят все более тяжелые битвы. Большинство активистов согласны, что пришло время сесть и начать обсуждать конструктивную повестку дня — но за чьим столом? И кто будет решать?

Эти вопросы обрели актуальность в конце мая, когда чешский президент Вацлав Гавел предложил свои услуги в качестве "посредника" в переговорах между президентом Всемирного Банка Джеймсом Вулфенсоном и участниками протеста, планировавшими сорвать совещание банка 26-28 сентября в Праге. Между организаторами протеста не было согласия по вопросу о непосредственном участии в переговорах в пражских Градчанах, и, что еще актуальнее, не было процесса, который вел бы к принятию решения: ни механизма избрания приемлемых делегатов от активистов (кто-то предлагал голосовать через Интернет), ни признанных всеми целей, которыми можно было бы руководствоваться, определяя выгоды и опасности такого участия. Если бы Гавел обратился к группам, конкретно имеющим дело с долговыми и структурными поправками, такими как Jubilee 2000 или 50 Years Is Enough, к его предложениям подходили бы без обиняков. Но поскольку он обратился к движению в целом, как если бы оно было единым организмом, то вызвал тем самым несколько недель внутренних распрей между организаторами демонстраций.

Отчасти проблема носит структурный характер. Среди большинства анархистов, а они очень много делают для организации масс (и вышли в онлайн гораздо раньше официального левого крыла), прямая демократия, прозрачность и самоопределение на местах — это не какие-то там высокие политические цели, а фундаментальные принципы, которыми руководствуются их организации. Однако многие NGO, пусть теоретически и разделяющие анархистские понятия о демократии, организованы как традиционные иерархии. Ими руководят харизматические лидеры и исполнительные комитеты, а их члены присылают им деньги и подбадривают их с обочины.

Так как же можно добиться слаженности от наполненного анархистами движения, чья самая сильная тактическая сторона — в схожести с комариным роем? Может быть, как и в Интернете, самый лучший подход — это научиться прочесывать органично возникающие структуры. Может быть, как раз и нужна не единая политическая партия, а хорошо налаженные связи между клубами единомышленников? Может быть, нужно не движение к большей централизации, а наоборот, еще более радикальная децентрализация?

Когда критики говорят, что у протестующих нет видения, на самом деле они возражают против отсутствия всеобъемлющей революционной философии — вроде марксизма, демократического социализма, глубинной экологии (deep ecology) или социал-анархизма, — с которой все участники движения были бы согласны. Это — совершеннейшее истинное замечание, и мы должны быть за это чрезвычайно благодарны. В настоящий момент уличные активисты окружены людьми, стремящимися к лидерству, только и ждущими благоприятной возможности мобилизовать активистов как пехоту для воплощения своего специфического видения. На одном конце этого окружения — Майкл Лернер со своей конференцией в церкви на Риверсайде, жаждущий принять всю эту не созревшую энергию Сиэтла и Вашингтона в лоно своей "Политики смысла". На другом конце — Джон Зезран из Юджина, штат Орегон, который не интересуется призывами Лернера к "исцелению", а рассматривает бунт и разрушение собственности как первый шаг к крушению индустриализации и возврату к "анархо-примитивизму" — доземледельческой утопии охотников-собирателей. Между ними стоят десятки других "визионеров" — ученики Марри Букчина с его теорией социальной экологии; некие марксисты-сектанты с их убежденностью, что революция начнется завтра; поклонники Калле Ласна, редактора Adbusters, с его разжиженной версией революции, осуществляемой с помощью "глушения культуры". Кроме того, есть невообразимый прагматизм, исходящий от некоторых профсоюзных лидеров, которые до Сиэтла были готовы втиснуть социальные пункты в существующие трудовые соглашения и на этом разойтись по домам.

К чести этого юного движения, оно пока что отгораживается от всех этих пунктов повестки дня и отвергает все великодушно предложенные ему манифесты, полагаясь на то, что какой-нибудь приемлемо демократичный, репрезентативный процесс продвинет его сопротивление на следующую ступень. Может статься, его истинная текущая задача — не найти видение, а, скорее, устоять перед соблазном принять таковое слишком поспешно и на этом успокоиться. Если ему удастся сохранить дистанцию от полчищ готовых к услужению "визионеров", у них сохранятся некоторые проблемы в отношениях с внешним миром. На серийных протестах кто-то сгорит. Перекрестки будут провозглашать свою автономию. И юные активисты (а они довольно часто одеваются в овечьи костюмы) будут выставлять себя, подобно овечкам, — на посмешище обозревателей The New York Times.

Но что с того? Это децентрализованное, многоглавое, похожее на рой движение уже сумело просветить и радикализовать целое поколение активистов по всему миру. Прежде чем подписаться под чьей-нибудь программой из десяти пунктов, оно заслужило шанс посмотреть, не выйдет ли из этой хаотичной сети "осей и спиц" нечто новое, нечто совершенно своеобычное.

Лос-Анджелес

Брачный союз денег и политики под рентгеном

Август 2000

Речь, произнесенная в Лос-Анджелесе на Теневом съезде, в нескольких кварталах от Staples-Center, где проходил национальный съезд демократической партии. Теневой съезд продолжался неделю и рассматривал важные вопросы — например реформу финансирования предвыборных кампаний и борьбу с наркотиками, — которые крупнейшие политические партии США на своих съездах игнорировали. Речь была прочитана на заседании секции "Вызов денежной культуре".

Разоблачение корпораций — как они поглощают общественные пространства и наши бунтарские идеи, как покупают наших политиков — уже не просто занятие культурологов и университетских профессоров. Оно стало международным увлечением. Активисты по всему миру говорят: "Да-да, понимаем. Мы читаем книги. Ходим на лекции. Изучаем осьминогоподобные графики, показывающие, что Руперт Мердок владеет всем. И знаете что? Мы собираемся по этому проводу не просто расстраиваться. Мы собираемся по этому поводу что-нибудь сделать".

Поставило ли антикорпоративное движение корпоративную Америку на колени? Нет. Но и совсем несущественным оно не является тоже. Спросите Nike. Или Microsoft. Или Shell Oil. Или

Monsanto. Или Occidental Petroleum. Или Gap. Спросите Philip Morris. Они расскажут. Вернее, заставят рассказать своего вновь назначенного вице-президента по корпоративной ответственности.

Мы живем, говоря словами Карла Маркса, в эпоху фетишизма товаров. Безалкогольные напитки и компьютерные бренды играют в нашей культуре роль божеств. Это они создают самую мощную нашу иконографию, это они строят наши самые утопические монументы, это они сообщают нам наш же собственный опыт — они, а не религии, не интеллектуалы, не поэты, не политики. Все они теперь на зарплате у Nike.

В ответ на это, мы находимся на первых стадиях организованной политической кампании по дефетишизации товаров, призванной сказать: нет, эти кроссовки, на самом деле, не являются символом бунта и преодоления. Это просто куски резины и кожи, и кто-то сшил то и другое вместе, и я скажу вам, как это было, и сколько ему заплатили, и сколько профсоюзных организаторов пришлось уволить, чтобы держать цены пониже. Дефетишизация товаров — это когда говоришь, что этот "Мак"-компьютер не имеет отношения к Мартину Лютеру Кингу, а имеет отношение к индустрии, направленной на построение информационных корпораций.

Это когда осознаешь, что каждый кусочек нашей глянцевой потребительской культуры откуда-то да приходит. Это когда прослеживаешь "паутину" фабрик на подряде, подставных филиалов и источника рабочей силы, чтобы понять, где производятся эти "кусочки", в каких условиях, какие лоббистские группы установили правила игры и какие политики были по дороге подкуплены. Иными словами, это когда ставишь под рентген культуру товаров, когда разнимаешь на части символику века шопинга и на этом выстраиваешь настоящие глобальные связи — между трудящимися, учащимися, защитниками природы. Мы — свидетели новой волны пытливого, называющего вещи своими именами активизма: отчасти это “Черные пантеры”, отчасти анархистский “Черный блок”, отчасти — ситуационизм, отчасти — фарс, отчасти — марксизм, отчасти — маркетинг.

Сейчас мы видим это по всему Лос-Анджелесу. В воскресенье была акция протеста у отеля Loews — здесь идут жесткие трудовые споры между низкооплачиваемыми трудящимися и руководством. Забастовщики выбрали для своей демонстрации эту неделю, потому что они хотели привлечь внимание к тому обстоятельству, что главный исполнительный директор Loews — крупный жертвователь на предвыборную кампанию Эла Гора. Они хотели подчеркнуть два момента: что экономический бум строится на спинах низкооплачиваемых трудящихся и что наши политики закрывают на это глаза, поскольку они — заложники. В тот же день, позже, прошла демонстрация у магазина Gap. Здесь тоже была двоякая цель. С одной стороны, — привлечь внимание к тому, как компания финансирует крутую рекламу своей одежды стиля хаки — делая скидки благодаря производству на потогонных фабриках; с другой, — обозначить связь между пожертвованиями на кампании и корпоративным лоббированием. “Какое любимое хобби председателя правления Gap Дональда Фишера?” — спрашивала листовка. И отвечала: “Подкуп политиков”, — указывая на щедрые пожертвования на кампании и Джорджа Буша, и Билла Брэдли. В понедельник мишенью были личные инвестиции Гора в акции Occidental Petroleum, нефтяной компании, обвиняемой в нарушении гражданских прав в Колумбии, где она планирует бурение на земле тамошнего племени у'ва, несмотря на угрозы в случае осквернения их земли совершить массовое самоубийство. [С тех пор компания от этого проекта отказалась.]

Я уверена, что этот съезд запомнится тем, что на нем брачный союз денег и политики был решительно выведен из тени — здесь, на теневом съезде, и на улицах, с "Миллиардерами за Буша" (или Гора), символически затыкающими себе рты миллионнодолларовыми "купюрами". Проблемы, которыми раньше была озабочена лишь горстка политических маятников — реформы финансирования избирательных кампаний, концентрация СМИ, — обрели независимую жизнь. Они выплывают в виде миниатюр уличного театра на Фигуэроа-стрит и на удивление успешных информационных сетей типа Indymedia, которая заняла шестой этаж этого здания — "Патриотик-Холла".

Наблюдая все то, что возникает за последние несколько лет, как смеем мы не питать надежду на возможности перемен в будущем? Помните — молодежь, выступающую против корпоративной власти, уже раз списали со счетов как не подлежащую исправлению. Это то самое поколение, которое всю свою жизнь росло под маркетинговой лупой. Это те самые, с рекламными плакатами в классах, выслеживаемые в Интернете прожорливыми исследователями рынка; с продаваемой и покупаемой на корню молодежной субкультурой; те, которым говорят, что их высочайшим устремлением должно быть — стать в восемнадцать лет (точка).com-овским миллионером; те, которым внушают, что они должны учиться не тому, чтобы стать гражданами, а тому, чтобы стать "главным исполнительным директором корпорации Я", или, по модному сейчас выражению, "брендом под названием Ты". Этим людям полагалось бы иметь в венах сок Fruitopia вместо крови, электронные записные книжки вместо мозгов.

И многие, конечно, имеют. Но многие другие идут в прямо противоположном направлении. И поэтому, если мы хотим построить движение на широком базисе, которое бросило бы вызов денежной культуре, нам нужна политическая активность, которая бы функционировала на конкретных уровнях деятельности. Но она также должна идти глубже, обращаться к культурным и гуманитарным потребностям. Она должна осознавать потребность в не превращенном в товар опыте, вновь будить наше желание иметь поистине общественные пространства, дарить радость от выстраивания чего-то коллективно. Может быть, нам уже пора начать задаваться вопросом, не являются ли движение за бесплатное программное обеспечение и компания Napster частью этого феномена. Может быть, нам пора высвобождать больше приватизированных пространств, как это делает караван странствующих активистов Reclaim the Streets, устраивая дикие тусовки посреди оживленных перекрестков, чтобы напомнить людям, что улицы когда-то были гражданскими пространствами, а не только коммерческими.

Такой возврат утраченного уже происходит на многих фронтах. То, что было и должно быть общим, требуют и возвращают себе по всему миру — активисты средств массовой информации;

безземельные крестьяне, занимающие пустующие земли; фермеры, отвергающие патентование растений и форм жизни.

И возврата демократии требуют тоже — люди в этом зале и на улицах вокруг него. Демократия не хочет быть замкнутой в Стейплз-центре или написанной перьями обанкротившейся логики двух корпоративных партий. И здесь, в Лос-Анджелесе, активизм, привлекший внимание мира в Сиэтле, выхлестывается из своих границ и преобразуется из движения, противостоящего корпоративной власти, в движение, сражающееся за свободу самой демократии.

Прага

Альтернатива капитализму — не коммунизм, а децентрализованная власть

Сентябрь 2000

Что более всего разъярило делегатов состоявшегося на этой неделе в Праге совещания Всемирного банка и Международного валютного фонда, так это сама идея, что им вообще надо *обсуждать* базовые достоинства свободно-рыночной глобализации. Все эти обсуждения должны были закончиться еще в 1989 году, когда пала Берлинская стена и наступил конец истории. Но только почему-то мы, старые и молодые, тысячами штурмуем — в буквальном смысле слова — баррикады их чрезвычайно важного саммита.

И вот эти делегаты, оглядывая толпу со стен своей слабо защищенной крепости, пробегая глазами надписи "Капитализм убивает", совершенно сбиты с толку. Неужели эти странные люди не воспринимают нашего послания? Неужели они не понимают, что мы все уже решили, что свободно-рыночный капитализм — это высшая и последняя, самая лучшая система? Конечно, она не вполне совершенна, и все участники совещаний ужасно тревожатся за всю эту бедноту и за неполадки с окружающей средой, но ведь выбора-то нет, или что?

Очень долгое время дело выглядело так, что существуют только две политические модели — западный капитализм и советский коммунизм. Когда СССР пал, осталась только одна альтернатива — или так казалось. Учреждения типа Всемирного банка и МВФ срочно "адаптировали" экономические системы Восточной Европы и Азии, чтобы помочь им своей программой: приватизируя национальные сферы услуг, смягчая контроль над иностранными корпорациями, ослабляя профсоюзы, развивая гигантские экспортные отрасли.

Вот потому-то так и знаменателен тот факт, что вчерашняя лобовая атака против правящей идеологии Всемирного банка и МВФ случилась именно здесь, в Чешской Республике. Это страна, испытавшая обе ортодоксальные экономические системы, страна, в которой бюсты Ленина уступили место логотипам Pepsi и аркам McDonald's.

Многие молодые чехи, с которыми я встречалась на этой неделе, говорят, что их непосредственный опыт с коммунизмом и капитализмом учит, что обе системы имеют нечто общее: обе централизуют власть в руках немногих, и обе обращаются с людьми так, будто они не совсем люди. Коммунизм рассматривал их как потенциальных производителей, капитализм — как потенциальных потребителей; коммунизм уморил голодом их прекрасную столицу, капитализм ее перекормил, превратив Прагу в тематический парк "бархатной революции".

Эти молодые люди росли без иллюзий в отношении обеих систем, и это объясняет, почему активисты, стоящие за событиями этой недели, называют себя анархистами и почему они ощущают инстинктивную связь с крестьянами и городской беднотой в развивающихся странах, борющихся против гигантских учреждений и безликих бюрократических структур типа МВФ и Всемирного банка.

Связывает их между собой критика не того, кто стоит у власти — государство или транснационалы, а того, как власть распределяется, и убежденность в том, что принятие решений всегда более ответственно, когда оно ближе к людям, которым придется с этими решениями жить. В корне этого лежит отрицание культуры типа "доверьтесь нам", независимо от того, кто в данный момент выступает экспертом. Во время "бархатной революции" родители многих пражских активистов своей борьбой добились перемен в том, кому стоять у власти в их стране. Их дети, осознав, что у власти все еще не стоит чешский народ, вливаются ныне в глобальное движение, бросающее вызов механизмам самой централизации власти.

На конференции по глобализации в преддверии пражской встречи индийский физик Вандана Шива объясняла, что массовые протесты против проектов Всемирного банка — это в меньшей степени споры вокруг конкретной плотины или социальной программы, а в большей — борьба за демократию на местном уровне и за самоуправление. "История Всемирного банка, — сказала она, — это отнятие власти у местных органов, передача ее центральному правительству, а дальше — корпорациям через приватизацию".

Молодые анархисты в толпе согласно кивали. Ее речи были очень похожи на их собственные.

Торонто

Активизм против нищеты и дебаты о насилии

Июнь 2000

Как организуют беспорядки? Сейчас это важный вопрос для Джона Кларка, самого заметного участника Коалиции Онтарио по борьбе против нищеты (Ontario Coalition Against Poverty, OCAP). На прошлой неделе OCAP проводила демонстрацию против стремительного роста бездомности, приведшей к двадцати двум смертям за семь месяцев. После того как она превратилась в настоящую битву — конный спецназ с одной стороны и кирпичи и доски — с другой, Кларка тут же выделили как маккиавелианского кукловода, дергающего за веревочки аморфную, бездумную марионеточную толпу. Несколько профсоюзов пригрозили прекратить финансирование организаций по борьбе с нищетой, а на самого Кларка заведено уголовное дело по подстрекательству к беспорядкам. [Дело до сих пор не закрыто.]

Большинство комментаторов приняли как данность, что сами демонстранты не решились бы сопротивляться, когда конная полиция с дубинками напала на толпу. Впрочем, пришли они во всеоружии — с защитными очками и с повязками, смоченными в уксусе, то есть готовые к сражению (неважно, что все это снаряжение предназначалось для защиты от неизбежного применения слезоточивого газа и распыляемого перечного настоя, которые даже самые мирные и законопослушные демонстранты, увы, привыкли ожидать от полиции). Кто-то, наверняка, оркестровал насилие, велел им швыряться кирпичами, учил готовить коктейли Молотова. Для чего это Кларку? Как для чего, говорят газеты, — для славы и денег.

В полудюжине газетных статей указывается, что сам Джон Кларк отнюдь не бомж, а живет — обалдеть! — в бунгало, которое снимает в Скарборо. И еще возмутительнее: на демонстрации были и другие небездомные люди. Ведь исходят из чего? Что активисты всегда действуют из собственных интересов, выходят на защиту своих понятий о собственности, добиваются снижения платы за обучение и повышения собственной зарплаты. В таком контексте риск своим благополучием во имя убеждений в том, как должно функционировать общество, видится чем-то недобросовестным, даже злодейским. Юным и радикально настроенным велят заткнуться и найти себе работу.

Я много лет знакома с несколькими "профессиональными активистами" ОСАР. Некоторые из них занялись борьбой против нищеты, еще не достигнув двадцати лет, в организации "Пища, а не бомбы" (Food Not Bombs), которая считает, что пища — одно из базовых прав человека и не надо получать разрешение муниципалитета на то, чтобы приготовить пищу и поделиться ею с голодными.

Некоторые из этих молодых людей могли бы, действительно, найти хорошо оплачиваемую работу и не жить в густонаселенных квартирах с соседями — если бы захотели. Они потрясающе изобретательны, хорошо образованны, а кое-кто так хорошо знаком с операционной системой "Линекс", что мог бы легко стать одним из разбогатевших на точка.com подростков.

Но они выбрали себе иную дорогу, дорогу безоговорочного отказа от системы ценностей, согласно которой единственно приемлемое использование наших талантов и мастерства — это обменивать их на деньги и власть. Вместо этого они используют свое в высшей степени продаваемое мастерство для работы ради распределения власти, для того чтобы убедить самых невластных членов общества, что у них есть власть — коллективно организовываться, защищаться от жестокого отношения и издевательств, требовать себе жилья; что у них есть силы, остающиеся неиспользованными.

ОСАР существует с единственной целью — придать власти и силы бедным и бездомным, и потому такой чудовищной несправедливостью предстает то, что прошедшую на прошлой неделе акцию выставляют как махинацию одного человека, использующего бедняков в качестве подпорок и пешек. Коалиция — одна из очень немногих групп по борьбе с бедностью, которые сосредоточены на организации в противоположность просто благотворительности и заступничеству. Для ОСАР бедняки — это не просто рты, которые надо накормить, и тела, которым нужны спальные мешки. Нет, это нечто совершенно другое: это слой населения, который имеет право быть услышанным. Сделать так, чтобы бездомные осознали свои политические права и выступили против оппозиции им, — чрезвычайно трудная задача, и именно поэтому активисты всего мира часто превозносят ОСАР как историю успеха.

Как же организовать бездомных, бродяг, бедноту? Мы знаем, что рабочие организуются на фабриках, домовладельцы —

в своих районах, учащиеся — в своих школах. Но те, кого представляет ОСАР, по определению разбросаны и непрерывно передвигаются. И тогда как рабочие и студенты могут стать политическими лобби, создавая союзы и бастуя, бездомных уже сбросили со счетов все учреждения, чьей работе они могли бы в принципе помешать.

Препятствия такого рода приводят большинство борющихся с нищетой групп к заключению, что бедняки и бездомные требуют того, чтобы за них выступали — говорили и действовали. Но не ОСАР: она старается создать пространство для бедных, в котором они могли бы говорить и действовать за себя сами. Вот тут-то и начинаются сложности: большинству из нас не хочется слышать гнев в их голосе, видеть возмущение в их действиях.

И как раз поэтому многие так разозлились на Джона Кларка. Его преступление не в организации беспорядков. Он отказывается причесывать нищету в угоду телекамерам и политикам. Коалиция не просит своих членов следовать благонамеренным протоколам вежливого протеста. Она не говорит разгневанным людям, что им не надо гневаться, особенно перед лицом тех самых полицейских, которые бьют их в темных переулках, или политиков, пишущих законы, которые стоят им их жилищ.

Джон Кларк не организовывал беспорядков, не организовывала их и ОСАР. Они их просто не остановили.

II

ЗАБОРЫ ВОКРУГ ДЕМОКРАТИИ

II

ЗАБОРЫ ВОКРУГ ДЕМОКРАТИИ

ТОРГОВЛЯ И УСТУПКИ

[Глава, в которой граждане выясняют,
что истинная цена "свободной торговли" —
власть осуществлять самоуправление]

Демократия в оковах

Кому выгодна свободная торговля?

Июнь 2001

Во время апрельского 2001 года Американского саммита в Квебеке президент США Джордж Буш провозгласил, что стоящее на рассмотрении создание Зоны свободной торговли американских государств (Free Trade Area of the Americas, FTAA) будет способствовать образованию "полушария свободы". Недвусмысленно связывая глобализацию и демократию, Буш утверждал, что "люди, работающие в более открытых экономических системах, в итоге потребуют и более открытых обществ".

Действительно ли глобализация способствует демократии? Это зависит от того, какого рода глобализацию мы создаем. Нынешняя система просто осуществляет изначально непрозрачное и непрезентативное принятие решений, но в наличии имеются и другие варианты. Дома и на мировой арене один из вариантов — демократия, но это вариант, требующий постоянной бдительности и обновления. У президента Буша, похоже, иное мнение. Как и многие другие защитники нынешней экономической модели, он утверждает, что демократия — результат не активного выбора, а эффекта просачивания благ сверху вниз благодаря экономическому росту: свободные рынки создают свободных людей. Было бы славно, если бы демократия достигалась таким невмешательством. К сожалению, инвесторы, как выяснилось, даже с излишней готовностью поддерживают деспотичные монархии вроде Саудовской Аравии и авторитарные коммунистические режимы типа Китая, пока эти режимы предоставляют свободные рынки иностранным компаниям. Движения же за демократию часто подавляются в погоне за дешевой рабочей силой и драгоценными природными ресурсами.

Конечно, капитализм процветает в представительных демократиях, которые применяют у себя прорыночную политику, например приватизацию и дерегулирование. Но что если граждане делают демократический выбор, который так не по душе иностранным инвесторам? Что случается, когда они решают, например, национализировать телефонную компанию или осуществлять больший контроль над своим нефтяным и минеральным богатством? Об этом рассказывают мертвые.

Когда демократически избранное правительство Гватемалы стало в 1950-х годах осуществлять реформу землевладения, уничтожив монополию американской United Fruit Company, страна подверглась бомбардировкам и правительство было свергнуто. Тогда США заявляли, что это было внутреннее дело, но девять лет спустя президент Дуайт Д. Эйзенхауэр рассуждал: “Мы должны были избавиться от захватившего власть коммунистического правительства”. Когда в 1965 году генерал Сухарто осуществил свой кровавый переворот в Индонезии, ему помогали из США и Европы. Роланд Чаллис, который был тогда корреспондентом BBC в Юго-Восточной Азии, утверждает, что “одним из условий был возврат туда британских компаний и Всемирного банка”. Подобным же образом “свободно-рыночные” силы в США спровоцировали военный переворот, в результате которого в 1973 году был свергнут и убит демократически избранный президент Чили Сальвадор Альенде. (В то время Генри Киссинджер произнес свое знаменитое замечание: нельзя допускать, чтобы страна “становилась коммунистической из-за безответственности своего народа”.)

Нынешние открытые разговоры в Вашингтоне о необходимости сбросить президента Венесуэлы Уго Чавеса показывают, что эта убийственная логика не умерла со смертью холодной войны. Но в наши дни вмешательство свободного рынка в демократию принимает более утонченные формы. Это может быть директива от Международного валютного фонда, требующая от правительства ввести “абонентскую плату” за медицинское обслуживание, или срезать миллиарды в расходах на социальные услуги, или приватизировать систему водоснабжения. Это может быть план соорудить массивную плотину, извергнутый Всемирным банком и вводимый без согласования с людьми, которых этот проект сгонит со своих мест и уничтожит их образ жизни. Это может быть рекомендательный отчет Всемирного банка о стране с огромным долгом, призывающий — ради привлечения иностранных инвесторов — к большей “гибкости” на рынке труда, что означает, между прочим, и необязательность коллективного обсуждения трудового договора. (А если кто-то сопротивляется и защищается, их можно заклеймить как террористов, и тогда для их подавления любые меры становятся приемлемыми.)

Иногда такое вмешательство бывает реакцией на жалобу во Всемирную торговую организацию о том, что принадлежность национальной почтовой службы государству — это "дискриминация" в отношении иностранной пересылочной компании. Или — торговые санкции против стран, которые решают — демократически — запретить ввоз выращенной на гормонах говядины или предоставить своим гражданам бесплатные лекарства от СПИДа. Или — немолчный гул лоббирования со стороны бизнеса за снижение налогов в каждой стране, со ссылкой на вечную угрозу, что капитал утечет, если мы не удовлетворим всех, даже самых мельчайших пожеланий корпораций. Независимо от применяемых методов, "свободные рынки" редко терпят рядом с собой поистине свободных людей.

Когда мы говорим о взаимоотношении глобализации и демократии, нам надо смотреть не только на то, добились ли народы права раз в четыре или пять лет опускать в урны бюллетени, но и на то, видят ли граждане в этих бюллетенях какой-то смысл. Мы должны не только добиваться наличия избирательной демократии, но и изучать повседневное качество. Сотни тысяч выходят на улицы у мест проведения саммитов не потому, что они против торговли как таковой, а потому, что совершенно реальная потребность в рабочих местах и инвестициях систематически используется для подрыва наших демократических систем. Неприемлемая торговля — это такая торговля, которая подтачивает наши суверенные права в обмен на иностранные инвестиции.

Что мне более всего ненавистно в аргументе о "просачивающейся сверху вниз" демократии, так это бесчестие в отношении людей, которые боролись и все еще борются за подлинные демократические перемены в своих странах, будь то право голоса, или возможность пользоваться землей, или создание профсоюзов. Демократия — не работа невидимой руки рынка, она — работа реальных рук. Часто утверждается, например, что Североамериканское соглашение о свободной торговле (North American Free Trade Agreement, NAFTA) несет демократию Мексике. На самом деле, рабочие, учащиеся, группировки коренного населения, радикальная интеллигенция — вот кто постепенно толкает на демократические реформы бескомпромиссную мексиканскую элиту. NAFTA же, расширяя пропасть между богатыми и бедными, лишь делает их борьбу более воинственной — и более трудной.

Взамен таких неупорядоченных, таких всем мешающих, таких *от мира сего* демократических движений президент Буш предлагает спокойную, умиротворяющую колыбельную: расслабьтесь и ждите, пока ваши права придут к вам. Но вразрез с этим летаргическим видением просачивающейся демократии, глобализация в ее нынешнем виде свободы не приносит. Не приносит ее и свободный рынок, и доступность биг-маков. Реальной демократии, то есть реальной возможности для народа принимать решения, — только добиваются. Ее никогда не получают в дар.

Зона свободной торговли американских государств

Лидеры могут соглашаться между собой, но на улицах латиноамериканских городов бушуют дебаты

Март 2001

В эту пятницу в Буэнос-Айресе встречаются министры торговли тридцати четырех стран, договаривающихся о Зоне свободной торговли американских государств (Free Trade Area of the Americas, FTAA). Многие в Латинской Америке предсказывают, что министров встретят протестами более мощными, чем те, что полыхали в 1999 году в Сиэтле.

“Группы поддержки” FTAA любят делать вид, будто их единственные недоброжелатели — это белые студентики из Гарварда и МакГилла, которые не понимают, насколько настойчиво “требует” FTAA “беднота”. Изменит ли все это публичная демонстрация латиноамериканской оппозиции? Не говорите глупостей.

Массовые протесты в развивающихся странах не отражаются в наших дискуссиях о торговле на Западе. Сколько бы народу ни выходило на улицы Буэнос-Айреса, Мехико или Сан-Паулу, сторонники корпоративно движимой глобализации так и продолжают утверждать, что любой возможный протест зарождается в мечтах какого-нибудь хмыря из Сиэтла со свалявшимися патлами, с шумом втягивающего кофе из бумажного стаканчика.

Когда мы говорим о торговле, мы часто сосредотачиваем внимание — и вполне справедливо — на том, кто становится богаче и кто беднее. Но существует и другая линия раздела: какие страны представлены как многообразные, сложные политические структуры, где граждане придерживаются несхожих взглядов, и какие выступают на мировой арене как бы одним голосом.

В Северной Америке и Европе разгораются споры о провалах нынешней торговой системы. Но такое многообразие общественного мнения редко признается за гражданами стран третьего мира. Их обычно сваливают в общую однородную кучу, от имени которой говорят политики — невесть как избранные или, и того лучше, дискредитированные, наподобие бывшего президента Мексики Эрнесто Зедильо, который ныне агитирует за международную кампанию против "глобофобов".

Правда же в том, что никто не может говорить от лица пятисотмиллионного населения Латинской Америки, и уж никак не Зедильо. Ведь поражение имеено его партии было в большой мере осуждением именно "достижений" — послужного списка NAFTA. По всему Американскому континенту либерализация рынка служит предметом ожесточенных споров. Дебаты идут не о том, желательны ли иностранные вложения и международная торговля, — Латинская Америка и Карибские острова уже организованы в региональные торговые блоки типа Меркосур. Дебаты идут о демократии: какие условия и сроки велят соблюдать бедным странам, чтобы они удовлетворяли критериям приема в глобальный торговый клуб?

Аргентина, принимающая у себя саммит FTAA на будущей неделе, находится в состоянии открытого бунта против массивных сокращений социальных затрат — почти на 8 миллиардов долларов США за три года, — которые были предприняты, чтобы получить доступ к займовым пакетам МВФ. На прошлой неделе три министра подали в отставку, профсоюзы организовали всеобщую забастовку, а преподаватели университетов проводили занятия на улицах.

До сих пор негодование против жестких мер экономии направлялось, главным образом, против МВФ, но теперь оно быстро расширяется на всем континенте и уже включает в свои мишени и то, что предлагается FTAA. При этом часто ссылаются на пример Мексики. Североамериканское соглашение о свободной торговле (North American Free Trade Agreement, NAFTA) вступило в силу в январе 1994 года, и что мы видим через семь лет? Три четверти населения Мексики живет в нищете, реальная заработная плата ниже, чем была в 1994 году, безработица растет. И вопреки всем уверениям, что остальная Латинская Америка хочет войти в NAFTA, национальные трудовые ассоциации Бразилии, Аргентины, Парагвая и Уругвая, представляющие 20 миллионов трудящихся, выступили против этого плана. Они теперь призывают к всенародному референдуму о членстве в FTAA. [И с ними — кандидат в президенты Бразилии Лула да Сильва, который в момент написания уверенно шел к победе на выборах в октябре 2002 года.]

Тем временем Бразилия, возмущенная канадским запретом на бразильскую говядину, пригрозила бойкотом квебекского саммита. Оттава оправдывает запрет соображениями безопасности, но бразильцы считают, что это скорее связано с недовольством

Канады субсидируемым производством реактивной техники в Бразилии. Бразильское правительство опасается также, что FTAA будет содержать протекционистские меры в пользу фармацевтических компаний, и это поставит под угрозу дальновидную национальную политику в области общественного здравоохранения, согласно которой непатентованные (generic) лекарства от СПИДа предоставляются бесплатно всем нуждающимся.

Сторонники свободной торговли хотели бы, чтобы все мы поверили в поверхностное уравнение "торговля=демократия". Люди, которые на будущей неделе будут приветствовать наших министров торговли на улицах Буэнос-Айреса, предлагают посчитать по более сложной и трудной формуле: от какой части демократии их попросят отказаться в обмен на "свободную торговлю"?

МВФ, убирайся к чертям!

Народ Аргентины опробовал рецепты МВФ; теперь его очередь управлять страной

Март 2002

В тот самый день, когда президент Аргентины Эдуардо Дуальде ввязался в очередные бесплодные переговоры с Международным валютным фондом, группа жителей Буэнос-Айреса проводила переговоры совсем иного рода. Немного раньше, солнечным вторником того же месяца, они старались спастись от выселения. Жители дома 335 по Айякучо, в том числе 19 детей, забаррикадировались в своем доме, расположенном всего в нескольких кварталах от Национального конгресса, и отказались его покинуть. На бетонном фасаде здания красовалось написанное от руки: "МВФ, убирайся к чертям".

Может показаться странным, что такое макроучреждение, как МВФ, оказалось вовлеченным в такой микровопрос, как выселение из Айякучо. Но в этой стране, где половина населения опустилась ниже уровня нищеты, трудно найти какой-нибудь сектор общества, не зависящий от решений, принимаемых этим международным кредитором.

Библиотекарям, учителям и другим работникам государственного сектора, которым платят наскоро напечатанной местной валютой, не будут платить вовсе, если "местные" согласятся перестать печатать деньги, как того требует МВФ. А если расходы в государственном секторе будут и далее сокращаться, на чем тоже настаивает кредитор, то безработные, 30% рабочей силы, окажутся еще ближе к бездомности и голоду, заставляющим тысячи людей штурмовать супермаркеты, требуя еды.

И если не будет найдено решение в недавно объявленном чрезвычайном медицинском положении, это уж точно отразится на женщине, которую я встретила на окраине Буэнос-Айреса. В порыве стыда и отчаяния она задрала блузку и показала мне открытую рану и висящие трубки после брюшной операции — врач не смог зашить и обработать рану из-за хронического дефицита медикаментов.

Может показаться неделикатным говорить о таких вещах здесь. Экономическому анализу ведь положено судить о привязке местной валюты к доллару, о "песофикации" (от песо), об опасностях биржевых спекуляций, а не о детях, лишающихся жилья, и женщинах с зияющими ранами.

И все же безответственные рекомендации, которыми бомбардируют из-за рубежа аргентинское правительство, требуют некоторой персонификации. В свободно-рыночных кругах царит консенсус в том, что МВФ должен рассматривать аргентинский кризис не как препятствие к дальнейшему затягиванию поясов, но как благоприятную возможность: страна так отчаянно нуждается в наличности, рассуждают там, что сделает все, чего пожелает МВФ. "Время кризиса — время действовать, это время, когда Конгресс наиболее восприимчив", — объясняет Уинстон Фритш, председатель бразильского отделения Dresdner Bank AG.

Самые драконовские меры предлагают в The Financial Times Рикардо Кабальеро и Рудигер Дорнбуш, дуэт экономистов из Массачусетского технологического института (MIT). "Пора действовать радикально, — пишут они. — Аргентина должна временно уступить свой суверенитет во всех финансовых вопросах, отказаться от суверенитета в регулировании экономики и управлении финансами, бюджетом, собственностью на продолжительный период, скажем, на пять лет". Экономикой страны — ее расходами, печатанием денег и налоговой политикой должны управлять "иностранные агенты", в том числе "совет опытных иностранных экспертов Центрального банка".

О стране, до сих пор не залечившей раны от исчезновения тридцати тысяч человек во время военной диктатуры 1976–1983 годов, только "иностранному агенту" могло хватить наглости сказать, как говорит команда из MIT, что "кто-то должен управлять страной крепкой хваткой". И, однако же, получается, что репрессии — необходимое условие реальной работы по спасению страны: это, по Кабальеро и Дорнбушу, — насильственное открытие рынков, еще большее сокращение расходов и, конечно же, "массивная кампания приватизации".

Рецепт обычный, но только на сей раз есть одна загвоздка: Аргентина уже все это проделала. Следуя модели МВФ на протяжении 90-х годов, она распахнула свою экономику (отчего капиталу с началом кризиса и оказалось так легко утекать из страны). Что же до так называемых "неуемных" государственных расходов Аргентины, то добрая их треть идет на обслуживание внешнего долга. Еще треть уходит в пенсионные фонды, которые уже приватизированы. Оставшаяся треть — часть которой действительно направляется на здравоохранение, образование и социальную поддержку, недостаточна при существующем росте населения, почему и идут из Испании корабли, груженные гуманитарной помощью — продовольствием и медикаментами.

Что касается "массированной приватизации", то Аргентина послушно продала в частные руки уже так много — от железных дорог до телефонных сетей. Единственными активами страны, которые Кабальеро и Дорнбуш могут предложить приватизировать, остаются порты и таможни.

Неудивительно, что многие из тех, кто восхвалял Аргентину в прошлом, теперь винят в ее экономическом крахе исключительно национальную алчность и коррупцию. "Если какая-то страна думает получить помощь от США, а сама крадет деньги, она ее просто не получит", — сказал на прошлой неделе в Мексике Джордж Буш. Аргентине придется, мол, "принять нелегкие решения".

Население Аргентины, уже много месяцев в открытую бунтующее против ее политической, финансовой и судебной элиты, вряд ли нуждается в нотациях о необходимости хорошего правления. На последних федеральных выборах больше людей испортило свои бюллетени, чем проголосовало за кого-либо из кандидатов. Самым популярным вписанным кандидатом был персонаж мультфильма по имени Клементе, выбранный потому, что не имеет рук и, следовательно, не может воровать.

Но трудно поверить, что именно МВФ произведет чистку аргентинской системы взяточничества и неподсудности, тем более что одно из условий получения новых фондов от этого кредитора — прекратить судебное преследование банкиров, которые нелегально вывели деньги из страны, чем радикально углубили кризис. И пока разрушение этой страны будут представлять как сугубо национальную патологию, это будет удобным способом держать сам МВФ вне прожектора общественного внимания.

В старинной сказке про обнищавшую страну, молящую мир о помощи, обычно умалчивают об одном принципиальном явлении: многие люди здесь не очень заинтересованы в деньгах МВФ, особенно когда это так дорого им обходится. Вместо этого они усиленно строят новые политические контрсилы, направленные и против собственных провальных политических структур, и против МВФ.

Десятки тысяч жителей организуют уличные ассамблеи, которые объединяются в сети на городском и национальном уровнях. На площадях, в парках и на перекрестках соседи обсуждают, как сделать избираемые властные структуры более подконтрольными и восполнить то, что провалило правительство. Они говорят о создании "конгресса граждан", который потребует от политиков прозрачности и подотчетности. Они обсуждают участие граждан в составлении бюджета и сокращение сроков полномочий политиков и одновременно устраивают общественные столовые для безработных. Президент, который не был даже избран, настолько напуган этой растущей политической силой, что начал называть эти "*asambleas*" антидемократическими.

И у него немало причин держать их в поле внимания. Эти *asambleas* также рассуждают и о том, как стимулировать местные отрасли производства и вернуть стране, ренационализировать ее богатства. И они могут пойти еще дальше. Аргентина, десятилетиями бывшая послушным учеником и безнадежно проваленная своими учителями из МВФ, не должна просить кредитов; ей пора требовать репараций.

У МВФ был шанс управлять Аргентиной. Теперь очередь за народом.

Нет места для местной демократии

Когда город препятствует выгодной торговой сделке, корпорация подает в международный суд

Февраль 2001

Если кому-то все еще не ясно, почему полиция строит современную Бастилию вокруг Квебека в процессе подготовки к разрезанию ленточки на открытии Зоны свободной торговли американских государств, пусть посмотрит на дело, которое сейчас слушается в Верховном суде канадской провиниции Британская Колумбия. В 1991 году Metalclad, американская мусороуборочная компания, приобрела закрытую к тому времени свалку токсичных отходов в мексиканском округе Гвадалказар. Компания собиралась построить гигантское хранилище опасных отходов и обещала очистить всю грязь, оставленную предыдущими владельцами. Но на протяжении последующих лет она продолжала собирать отходы без согласования с местными органами, что не снискало ей доброй славы в Гвадалказаре.

Жители усомнились в серьезности намерений Metalclad по очистке территорий; они опасались дальнейшего загрязнения грунтовых вод и в конце концов решили, что присутствие иностранной компании нежелательно. В 1995 году, когда хранилище было готово к открытию, город и штат вмешались, мобилизовав всю имевшуюся у них законодательную власть: город лишил Metalclad лицензии на строительство, а штат объявил, что прилежащая территория является экологическим заповедником.

К этому времени Североамериканское соглашение о свободной торговле (NAFTA) — включая его спорную статью "Глава 11", которая разрешает инвесторам подавать в суд на правительства, — было уже в полной силе. И Metalclad возбудил иск по Главе 11, заявив, что Мексика "экспроприирует" его инвестиции. Иск слушался прошлым августом в Вашингтоне арбитражным судом в составе трех судей. Metalclad запросил 90 миллионов долларов США; ему присудили 16,7 миллиона. Используя редко применяемый апелляционный механизм с привлечением третьего лица, Мексика решила обжаловать это решение в Верховном суде Британской Колумбии.

Дело Metalclad — живая иллюстрация того, почему критикующие называют "свободную торговлю" "биллем о правах транснациональных корпораций". Metalclad с успехом изобразила из себя жертву, пострадавшую от того, что NAFTA называет "вмешательством" и что некогда называлось "демократией".

Как показывает дело Metalclad, демократия иногда проявляется там, где ее меньше всего ожидают. Это может случиться в сонном городке или самодовольном мегаполисе, жители которых вдруг решают, что их политики не выполняют своих обязанностей и гражданам пора проявить активность. Образуются общественные объединения, люди штурмуют заседания местных органов власти. Иногда они побеждают: не строится опасная шахта, срывается план приватизации системы водоснабжения, блокируется мусорная свалка.

Часто такие общественные акции проводятся, когда процесс уже пошел, и принятые ранее решения меняются на противоположные. Эти взрывы массового вмешательства беспорядочны, неудобоваримы, непредсказуемы, — но демократия, несмотря ни на что, иногда проявляется и на заседаниях местных органов власти и комиссий за закрытыми дверями.

Именно этот род демократии арбитраж в деле Metalclad признал "произволом", и поэтому все мы должны быть настороже. В рамках так называемой свободной торговли правительства лишаются способности реагировать на требования избирателей, учиться на ошибках и исправлять их, пока не поздно. По мнению Metalclad, мексиканское правительство должно было просто проигнорировать протесты жителей. Нет сомнений, что, с точки зрения инвестора, всегда легче вести переговоры с одним уровнем правительства, чем с тремя.

Загвоздка в том, что наши демократии так не работают: такие вопросы, как удаление отходов, пронизывают все уровни правительства, затрагивая не только коммерцииію, но и проблемы питьевой воды, здравоохранения, экологии, туризма. Более того, последствия политики свободной торговли острее всего ощущаются именно местными сообществами.

От городов требуется абсорбировать людей, согнанных со своей земли сельскохозяйственной индустрией или вынужденных покидать свои провинции из-за сокращений расходов на федеральные программы по безработице. Городам и поселкам приходится находить пристанище для тех, кто стал бездомным из-за *дерегулирования* рынка жилья, и как-то разбираться с беспорядком, оставленным провалившимися приватизационными экспериментами, — и все это при подорванной налоговой базе. Пусть торговые сделки заключаются на международном уровне — воду-то пьют и в самой глухой деревне!

Среди политиков муниципального уровня все чаще звучат требования большей власти в ответ на то, чем их "нагружают". Например: ссылаясь на вашингтонское решение по делу Metalclad, муниципальное собрание Ванкувера приняло в прошлом месяце резолюцию о ходатайстве перед "федеральным правительством об отказе подписывать любые торговые и инвестиционные соглашения, такие как... Зона свободной торговли Американских государств, в которых оговорены отношения между инвестором и государством, подобные тем, что включены в акты NAFTA". А в понедельник мэры крупнейших канадских городов начали кампанию за расширение конституционной власти. "В конституции конца 1800-х годов [города] стоят в списке где-то между салунами и приютами; вот чего стоит наша власть, вот почему на нас можно все взваливать и сваливать", — объяснила Джоанна Монахен, президент Федерации канадских муниципалитетов.

Городам и поселкам нужна власть принимать решения, сравнимая с их повышающейся ответственностью, иначе они просто превратятся в свалки токсичных выбросов свободной торговли. Иногда, как в Гвадалказаре, это свалки в буквальном смысле слова.

Чаще всего они скрыты глубже.

[*В мае 2001 года Верховный суд Британской Колумбии поддержал определения трибунала NAFTA, и в октябре того же года Мексика выплатила Metalclad более 16 млн. долларов США.*]

Война профсоюзам

Фабричные рабочие Мексики требуют от Nike держать свое слово

Январь 2001

Марион Трауб-Вернер гостила у родных в Торонто, когда раздался звонок: восемьсот рабочих швейной фабрики в Мексике прекратили работу. Первым же самолетом она улетела в Мехико и через несколько часов уже встречалась с рабочими.

Для Трауб-Вернер это была не просто забастовка. "Это забастовка, которую мы давно ждали", — говорит она.

Эта фабрика производила спортивный трикотаж с надписями и знаками университетов Мичигана, Орегона, Индианы и Северной Каролины. Крупнейший клиент фабрики — Nike, корпорация, у которой заключены контракты о поставках спортивной одежды с этими и многими другими учебными заведениями.

Последние пять лет Марион Трауб-Вернер входит в число ключевых организаторов растущего антипотогонного студенческого движения в Северной Америке. Она участвовала в создании Студенческого объединения против потогонных цехов (United Students Against Sweatshops), ныне действующего на 175 кампусах. Студенты ведут жесткие схватки с компаниями, производящими одежду для их заведений, самые видные из которых – спортивные гиганты типа Nike.

Вопрос стоит о том, кому можно доверять регулирование и мониторинг фабрик на рынке вузовской одежды, достигающем бюджета в 2,5 миллиарда долларов.

Nike настойчиво утверждает, что может решить проблемы самостоятельно; она говорит, что имеет строгий кодекс поведения и входит в Ассоциацию справедливых трудовых отношений (Fair Labor Association, FLA), созданную бывшим президентом США Биллом Клинтоном. Она, кроме того, нанимает независимые аудиторские фирмы, чтобы удостовериться, что семьсот фабрик, производящих ее продукцию, играют по правилам. [*Довод о том, что аудиторские фирмы имеют беспристрастные отношения с корпорациями, за проверку которых им платят, сделался заметно менее популярным после скандала с Enron/Andersen.*]

Студенты отвергают этот путь, говоря, что от корпораций нельзя ожидать, чтобы они мониторили сами себя. Вместо этого они стараются заставить администрацию своих школ и университетов вступить в Консорциум по правам трудящихся (Workers' Rights Consortium, WRC), организацию, настаивающую на истинно независимом мониторинге без контроля со стороны компании.

Стороннему наблюдателю это кажется скрытой борьбой двух конкурирующих акронимов — FLA против WRC. Но вот на швейной фабрике Kuk-Dong в мексиканском городе Атлиско этот диспут приобрел человеческий облик. Это была одна из тестовых фабрик Nike, куда несколько раз наведывались нанятые им мониторы.

Сегодня студенты выйдут на публику с обличающей видеозаписью: интервью с работницей Kuk-Dong. Запись, по мнению студентов доказывает нарушения найковского кодекса поведения. На видео, которое я просмотрела вчера, молодая мексиканка говорит о нищенских ставках, о голоде, о невозможности не выходить на работу по болезни. На вопрос о своем возрасте она ответила: “Пятнадцать”.

Согласно кодексу поведения, Nike не принимает на швейную работу лиц моложе 16 лет. Компания утверждает, что девушка могла подделать документы, чтобы получить работу.

Подделка документов и правда очень распространена в Мексике, но несовершеннолетние работники часто заявляют, что их подучивают лгать вербовщики самих компаний.

Есть и другие факторы в деле Kuk-Dong, которые возбуждают сомнения в мониторинговых методах Nike. Компания утверждает, что работники, производящие ее продукцию, имеют право на свободу ассоциаций, и когда я разговаривала вчера с Вейдой Менеджером, директором Управления по глобальным проблемам компании Nike, он настаивал: "Мы не противники профсоюзов".

Но работники говорят, что когда они решили избавиться от "профсоюза компании", не сумевшего отстаивать их интересы, пять их активистов были уволены. (Так называемые профсоюзы компании, обнимающиеся с руководством, — общее место в Мексике, где к независимым профсоюзам относятся как к барьерам на пути иностранных инвестиций.)

В прошлый четверг работники вышли на забастовку, протестуя против увольнения своих лидеров: восемьсот человек оставили свои швейные машины и заперлись на фабрике. По словам Жозефины Хер나ндес, одной из уволенных активисток, "все, чего мы просим, — это положить конец коррумпированному профсоюзу и разрешить союз, сформированный работниками".

Результаты снова оказались катастрофическими. Во вторник спецназ во главе с лидером профсоюза компании ворвался на фабрику и закончил протест, избив работниц, — 15 человек попали в больницу. Из-за этого зверского нападения около двухсот работников решили не возвращаться на фабрику из страха перед местью руководства, хотя забастовка и окончилась. Свобода ассоциаций, гарантированная мексиканским законом и найковским кодексом поведения, явно не является реальностью на фабрике Kuk-Dong.

Вейда Менеджер говорит, что последний заказ, который Nike дала фабрике Kuk-Dong — на шерстяные рубашки, — был выполнен в декабре. Он говорит, что Nike будет решать, размещать ли там заказы и дальше, основываясь на рекомендациях своего "посредника на месте событий".

Фабричные рабочие и студенты университетов, сотрудничающие с ними в Мексике, хотят другого. Они хотят, чтобы Nike не бежала с места безобразной сцены, спасая лицо, а оставалась и доказывала, что ее кодекс поведения — не пустые слова. "Мы хотим, чтобы Nike надавила на Kuk-Dong, чтобы та договаривалась непосредственно с рабочими, — говорит Трауб-Вернер. — Это подход, нацеленный на дальнюю перспективу, но, по-нашему, более долговечный".

[*Работницы Kuk-Dong объявили голодовку, и Nike в конце концов надавила на фабрику, и та позволила бастовавшим вернуться на работу. В сентябре 2001 года они добились права сформировать независимый профсоюз, и эта победа, по словам американской правозащитной организации Global Exchange, "создает прецедент", который может привести к дальнейшему процессу организации рабочих и к формированию независимых профсоюзов на мексиканских фабриках.*]

Послужной список NAFTA

Семь лет спустя: цифры достижений Соглашения как-то не складываются

Апрель 2001

Эта заметка была ответом на опубликованную в The Globe and Mail статью бывшего премьер-министра Канады Брайана Малруни, того самого, кто проводил переговоры и по Соглашению о свободной торговле между Канадой и США, и по Североамериканскому соглашению о свободной торговле, которое включило в сделку и Мексику. В своей статье он выступал за дальнейшее расширение NAFTA до включения в него всего полушария (будущая Зона свободной торговли американских государств, Free Trade Area of the Americas, FTAA). Позиция Малруни зиждется на его убежденности, что NAFTA привело к несомненному успеху во всех трех странах. Во время публикации данного ответа Квебек-Сити готовился принимать у себя Саммит американских государств, встречу тридцати четырех глав государств, призванную дать старт FTAA. Активисты со всего континента планировали гигантские демонстрации протеста.

Брайан Малруни считает цифры своими союзниками. Он с гордостью приводит цифры роста валового внутреннего продукта Канады за счет экспорта в США: 40 процентов! Число рабочих мест, созданных торговлей, — четыре из пяти! А статус

Мексики как важного торгового партнера США, уступающий только Канаде!.. Эти цифры, считает наш бывший премьер-министр, — доказательство правильности свободно-торговых сделок, которые он заключил с Соединенными Штатами, а потом с Мексикой.

Он все еще не понял: эти цифры ему отнюдь не союзники, они его злейшие враги. Оппозиция свободной торговле выросла и обрела более громкий голос именно потому, что частное богатство достигло небес, не трансформируясь ни во что, что можно было бы недвусмысленно определить как общее благо. Дело не в том, что критикам неизвестно, сколько денег дает свободная торговля, — дело в том, что нам все слишком хорошо известно.

Тогда как недостатка в цифрах, указывающих на рост экспорта и инвестиций, не наблюдается, распространение благ, которые представлялись нам как политические стимулы дерегулирования — снижение загрязнения среды, повышение оплаты труда, лучшие условия на рабочих местах, меньше нищеты, — все это либо мизерно, либо не достигнуто вовсе.

Эффект сопроводительных соглашений по труду и экологии, привязанных к Североамериканскому соглашению о свободной торговле, рекордно жалок.

Сегодня 75% населения Мексики живет в нищете — по сравнению с 49% в 1981 году. И если в Канаде "свободная торговля" создает рабочие места, то их недостаточно, чтобы восполнить потерянные: к 1997 году общий баланс был негативным — 276 тыс. потерянных рабочих мест, по данным Канадского центра альтернативной политики (Canadian Centre for Policy Alternatives).

Общее загрязнение окружающей среды в Мексике, согласно исследованию Университета Тафта, со времени введения NAFTA удвоилось. А Соединенные Штаты стали ренегатом в проблеме сохранения климата, наплевав на все свои обязательства по Киотскому протоколу. Оказывается, вызывающая исключительность — роскошь эпохи свободной торговли, доступная только ультрабогатым.

Всегда найдется в запасе оправдание тому, что богатство, генерируемое свободной торговлей, застревает на самом верху: рецессия (экономический спад), дефицит, кризис песо, политическая коррупция, а теперь еще одна нависающая рецессия. Всегда найдется обоснование истратить профицит на налоговые льготы вместо социальных и экологических программ.

Чего не понимает Малруни — это того, что созданию богатства как абстракции поклоняются только экономисты, что только очень богатые фетишизируют это как самоцель. Все же остальные из нас интересуются этими растущими цифрами в торговых гроссбухах только с точки зрения того, что на это можно сделать: означает ли рост торговли и инвестиций, что нам станет по карману перестройка нашей системы здравоохранения? Сможем ли мы сдержать обещания и положить конец детской нищете? Сможем ли мы финансировать более качественные школы? Строить доступное жилье? Вкладывать средства в более чистые источники энергии? Меньше ли мы работаем и больше ли имеем свободного времени? Короче, имеем ли мы лучшее, более справедливое, стабильное общество?

Все совсем наоборот.

Как соизволил признать Малруни, "свободная торговля — это часть целого, которое включает в себя GST [канадский налог на товары и услуги], дерегулирование, приватизацию и совместные усилия по сокращению дефицита, снижению инфляции и процентных ставок". Вот они, внутренние предварительные условия, чтобы играть в глобальные торговые игры, — пакет, который, если его рассматривать в совокупности, со всей несомненностью убеждает, что цифры, которые с такой гордостью преподносит нам Малруни, не очень полезны, когда речь идет о стагнации оплаты труда, экономическом неравенстве и углубляющемся экологическом кризисе.

А когда экономический рост оторван от ощутимого социального прогресса, мыслящие люди начинают терять веру в систему. Они начинают задавать трудные вопросы не только о торговле, но и о том, как экономисты измеряют прогресс и общественные ценности. Почему не можем мы измерять экологический дефицит, как измеряем экономический рост? Каковы реальные социальные затраты — в виде сокращения финансирования образования, растущей бездомности — на тот пакет достижений "свободной торговли", о котором говорит Малруни?

Такого рода вопросы будут звучать в Квебеке на этой неделе. Их будут задавать люди типа Жозе Бове, французского молочного фермера, чья кампания направлена не против McDonald's, а против сельскохозяйственной модели, которая рассматривает пищу как чисто индустриальный товар, а не как центральный элемент национальной культуры и семейной жизни. Их будут задавать работники системы здравоохранения, ставящие под вопрос торговую систему, которая защищает патенты на лекарства от СПИДа с большим рвением, чем миллионы человеческих жизней. Их будут задавать студенты, с каждым годом платящие все больше за свое "государственное" образование, тогда как их университеты наводняет реклама, а их исследовательские лаборатории постепенно приватизируются с помощью коммерчески спонсируемых исследований.

Защитники свободной торговли отвергли лозунг "Люди прежде прибыли" как несфокусированный, но он славно резюмирует чувства собирающихся в Квебеке. Доводы к скорейшему введению Зоны свободной торговли американских государств базируются на неколебимой идеологической вере: что хорошо для бизнеса, будет — в итоге — хорошо для всех. Даже если этот сомнительный аргумент и справедлив, временной график неприемлем. По словам управляющего Мексиканским банком, при нынешних темпах экономического роста пройдет шестьдесят лет, прежде чем Мексика удвоит доход на душу населения и покончит с крайней нищетой.

Протестующие же говорят только, что охрана человеческого достоинства и окружающей среды слишком важны, чтобы о них смиренно молиться, как о дожде во время засухи. Они должны быть не запоздалыми побочными эффектами, но сутью нашей экономической политики.

По счастью, протестующие не принимают стремления некоторых предложить одну — безразмерную, на все случаи жизни — альтернативу свободной торговле, а отстаивают право на нормальное глобальное многообразие и самоопределение. Одного решения нет, а есть тысячи, медленно срастающиеся в альтернативную экономическую модель. В боливийском городе Кочабамбе — это утверждение, что вода — не товар, а право человека, пусть даже придется выгнать вон международный водный конгломерат Bechtel. В Британской Колумбии — это требование индейских и других поселков: дать им самим контролировать свои окрестные леса с выборочной их рубкой, поддержанием туризма и местной лесохозяйственной промышленности, а не раздавать лесозаготовителям-транснационалам лицензии на индустриальные лесопитомники. В Мексике и Гватемале — это создание на кофейных плантациях кооперативов, которые гарантировали бы прожиточные ставки и экологическое многообразие.

Некоторые поборники свободной торговли говорят, что если бы протестующие в Квебеке были серьезными людьми, они находились бы по другую сторону кордонов, выстроенных для защиты делегатов и физически разделивших город. Они говорят, что протестующим следовало бы вежливо договариваться о сопутствующих соглашениях по трудовым отношениям, демократии и экологическим стандартам.

Но спустя тринадцать лет после первого соглашения о свободной торговле с Соединенными Штатами под обстрелом находятся не детали FTAA (их мы до сих пор не знаем), а сама экономическая модель: цифры — ну никак не складываются!

С типичной для него дипломатичностью премьер-министр Жан Кретьен на прошлой неделе сказал газете La Devoir, что тысячи людей съезжаются в Квебек для “протеста и бла-бла-бла”. Как раз наоборот. Они съезжаются в Квебек для протеста, потому что они сыты всякими “бла-бла”.

ПОСТСКРИПТУМ ПОСЛЕ 11 СЕНТЯБРЯ

Нижеследующая статья была написана через восемь месяцев после квебекского саммита. Она приведена здесь потому, что после террористических атак в Нью-Йорке и Вашингтоне бюджетные уступки ради расширения торговли стали еще более вопиющими.

Во имя борьбы с терроризмом Соединенные Штаты требуют, чтобы Канада радикально ужесточила охрану своих границ, а также передала значительную часть контроля над ними сотрудникам безопасности США. Трудно придумать для Канады менее выгодную позицию в переговорах: благодаря свободной торговле, 87% нашего экспорта идет в США, и почти половина нашей экономики зависит от открытых границ.

Многие канадцы рассматривают некоторую интеграцию границ как неизбежную цену за охрану наших 700-миллиардодолларовых торговых отношений с США. Но от канадцев требуют большего, чем контроля границ. От нас требуют части экономических дивидендов, добытых годами экономического аскетизма.

“Бюджет безопасности”, предложенный 10 декабря министром финансов Полом Мартином, бросает 1,2 миллиарда долларов прямиком на границу. Часть этих денег предназначена для защиты канадцев от терроризма, но в большей их части необходимо видеть то, чем они являются, — субсидии налогоплательщиков транснациональным корпорациям.

Когда канадцы соглашались на сокращения расходов на здравоохранение, страховку по безработице и другие социальные программы, нам говорили, что эта экономия необходима для привлечения иностранных инвесторов. Мы не меняем своих социальных программ на свободную торговлю, говорили агитаторы, наоборот, только свободная торговля и может генерировать такое процветание, которое необходимо для перестройки наших социальных программ.

Но вот загвоздка: как только канадцы начали думать, что могут потратить часть недавно обретенного национального благосостояния на новые программы, сразу выяснилось, что профицит бюджета не будет использован на то, чтобы люди чувствовали себя уверенно. Он будет использован на то, чтобы торговля чувствовала себя уверенно, чтобы "сохранять наши границы открытыми", как сказал Мартин.

Доходы от торговли через границу идут на саму границу: на то, чтобы сделать ее суперграницей борьбы с терроризмом и гарантом потока свободной торговли. У нас будет "самая современная граница в мире", с энтузиазмом вещал Мартин. Вот, оказывается, каково наследие многих лет затягивания ремней: не лучшее общество, а настоящая, замечательная граница.

Планируется создание многоярусных пропускных пунктов, открытых для бизнеса и одновременно закрытых для "нежелательных" людей. Задача не из легких, так как миграция людей и торговля товарами имеют тенденцию быть взаимосвязанными.

Вот почему план Мартина одновременно открыть и закрыть границы так дорог: 395 миллионов долларов на проверку беженцев и иммигрантов, 58 миллионов на более беспрепятственное пересечение границы регулярно ездящими в деловые поездки, 500 миллионов на поимку нелегальных иммигрантов, 600 миллионов за шесть лет на улучшение транспортных потоков.

Остановимся на минутку, прочувствуем иронию. Свободная торговля должна была бы снизить расходы на перемещение товаров через границы, тем самым способствуя новым инвестициям. Получилось же, что мы настолько зависим от торговли (а США настолько не доверяют нашей способности поддерживать порядок), что тратим сотни миллионов долларов просто на то, чтобы торговля продолжалась.

Говоря по-другому, затраты, которые раньше брал на себя частный сектор в форме экспортных и импортных пошлин, теперь перенесены на налогоплательщиков как затраты на охрану. Граница, обещавшая процветание, превращается в экономическую воронку.

Аннет Вершурен, президент Home Depot Canada*, превозносила бюджет Мартина: "Мы зависим от границы в том, чтобы наши товары попадали в наши магазины. Все, что это ускоряет, снижает наши затраты".

Что же, новые расходы на безопасность — неизбежная плата за нашу экономическую стабильность? Возможно. Но они, как минимум, должны подавать сигнал "осторожно" нашим политикам, которые стремятся расширить Североамериканское соглашение по свободной торговле на все полушарие.

Свободная торговля уже существенно сказалась на наших социальных программах и на нашей способности проводить суверенную политику по иммиграции и беженцам. Теперь она стоит нам миллиардов долларов на меры безопасности. Может быть, мы хотя бы перестанем называть ее свободной?

---

* Сеть супермаркетов, торгующих товарами для дома.

Заграждения на границах все выше

Сезонные рабочие знают, что, когда барьеры для торговли понижаются, барьеры для людей повышаются

Ноябрь 2000

Когда кандидат от правого Канадского альянса Бетти Грейнджер на прошлой неделе употребила выражение “азиатское вторжение”, это вызвало в памяти риторику Второй мировой войны о “желтой опасности”, и ей пришлось подать в отставку. Но в той же речи кандидатка выдала еще один перл, который остался незамеченным. Упоминая о лодках с китайскими иммигрантами, задержанных у берегов Британской Колумбии, она сказала: “Было ясно, что плыла на этих лодках не самая лучшая клиентура, какую хотелось бы иметь в нашей стране”.

Клиентура. Тут нет ксенофобского оттенка, как в “азиатском вторжении”, это звучит как объективное стремление к позитиву. Что, однако, может быть еще опаснее — это идея не из тех, которые отбрасываются партией: она лежит в самом центре иммиграционных дебатов.

В богатых странах вроде Канады мы часто говорим о миграционных рабочих как о “клиентах”, а о своей стране с ее медицинским обслуживанием и сравнительно здоровым рынком труда — как о продукте, который эти клиенты хотели бы купить. Поскольку в поисках таких “покупок” бродят миллионы мигрантов, мы можем постараться прикинуть, как это сделала Грейнджер, какие из них "самые лучшие".

"Бетти Грейнджер просто высказала вслух распространенную, но неверную идею об иммигрантах, что это люди, прибывшие сюда, чтобы их обслуживали", — говорит Фели Виллазийн, координатор правозащитной группы "Вступимся за права прислуги, сиделок и новоприезжих".

В действительности массовая миграция — это не форма шопинга в поисках родины, а обратная сторона политики свободной торговли, которую так активно проводит наше правительство. Люди закладывают все свое будущее за ржавое суденышко не потому, что они выходят на рынок в поисках чего-то несколько более качественного. Они делают это потому, что перемены, осуществляемые у них дома, оставляют их без работы, без земли, без выбора.

Это может быть война или ураган. Но это также могут быть менее радикальные сдвиги: угодья, или превращенные в экспортные фабрики аграрно-промышленные плантации, или затопленные гигантскими плотинами. На прошлой неделе Нельсон Мандела представил отчет о глобальных последствиях строительства этих плотин, которые Всемирный банк традиционно рассматривает как непременное условие вступления в глобальную экономическую систему. Отчет, опубликованный Всемирной комиссией по использованию дамб, указывает, что эти проекты резко повышают уровень миграционных потоков — 1,2 миллиона человек будут согнаны с мест одной только плотиной "Три ущелья" в Китае.

Жители, согнанные с земли строительством дамб и другими преобразовательными проектами, перемещаются в города и заполняют суда, отправляющиеся в другие страны. Когда Канада лоббирует расширение инвестиционных возможностей для наших энергетических компаний, все канадцы становятся соучастниками этого массового перемещения людей, согнанных с мест именно неолиберальной глобализацией.

Но рабочие-мигранты, которых по всему миру насчитывается 70–85 миллионов, — это больше, чем просто невидимый побочный эффект "свободной торговли". Будучи согнаны, они тут же вливаются в свободный рынок, но не как клиенты, а как товар, продавая единственное, что имеют, — свой труд.

Наше правительство, говорят нам, выступает за ровное игровое поле в международной торговле товарами. Мы поборники Всемирной торговой организации, мы лидируем в стремлении распространить Североамериканское соглашение о свободной торговле на Центральную и Южную Америку. Мы боремся за принцип обращения с иностранными компаниями, как со своими: никаких несправедливых субсидий своим, никаких сверхнормативов чужим, никаких препон инвестициям.

Но когда товаром, идущим из-за границы, становится рабочая сила, все эти либеральные меры и принципы исчезают. Каждый год примерно 200 000 мигрантов прибывают в Канаду, чтобы работать низкооплачиваемыми уборщицами, швеями, нянями и поденщиками на фермах. А наше правительство наотрез отказывается ратифицировать Международную конвенцию по защите прав всех трудящихся-мигрантов и членов их семей — соглашение, которое защитило бы их от дискриминации.

Вместо этого у нас введена Live-In Caregiver Program, программа "Уход с проживанием", которая узаконивает неравенство в обращении с домработницами и нянями, приезжающими в Канаду и живушими у своих работодателей. По этой программе мигранты должны двадцать четыре месяца на протяжении трехлетнего периода отработать полный рабочий день без статуса иммигранта и базовых мер охраны труда. Только после этого они могут подавать ходатайство о виде на жительство. Если же они не выполняют этих условий, их депортируют.

Поскольку они живут на рабочем месте, им не платят сверхурочных и часто подвергают сексуальным домогательствам. Но поскольку их иммигрантский статус зависит от сохранения этих рабочих мест, большинство из них жаловаться не склонны.

В каком-то оруэллианском извращении корпорации научились без запинки применять правозащитный лексикон: Wal-Mart и Exxon, торгуя своими грузами через границы, требуют "честного и равноправного обхождения" и "недискриминационных условий договоров". Тем временем, с человеческими существами все чаще обходятся как с грузами, не имеющими вообще никаких прав.

Бетти Грейнджер сказала о мигрантах, прибывающих в Канаду, — "не самая лучшая клиентура". На самом же деле, это канадцы являются клиентурой для дешевого труда мигрантов: мы покупаем его для своих жилищ, ферм, ресторанов и заводов. И только когда мы поймем, что участвуем в этой свободной торговле людьми, а не открываем великодушно свои границы для нуждающихся со всего мира, иммигранты будут защищены в соответствии с присущими им правами человека.

Установление — и нарушение правил

Г-н премьер-министр, мы не антиглобалисты, мы истинные интернационалисты

Октябрь 2001

В сентябре 2001 года президент Европейского Союза и премьер-министр Бельгии Ги Верхофштадт написал открытое письмо "антиглобализационному движению". "Вы как антиглобалисты выражаете вполне правомерную озабоченность, — говорится в письме, — но для нахождения правильного решения нам нужно больше глобализации, а не меньше. В этом парадокс антиглобализации. Ведь глобализация может служить делу добра точно так же, как она может служить делу зла. Что нам нужно, так это глобальный этический подход к природному окружению, к трудовым отношениям и к монетарной политике. Иными словами, стоящая перед нами сегодня задача не в том, чтобы мешать глобализации, а в том, чтобы дать ей этический фундамент". (Целиком письмо премьер-министра можно прочитать на www.premier.fgov.be/topics/press/e_press23.html.)
Письмо вызвало оживленную полемику, и тогда Верхофштадт созвал "Международную конференцию по глобализации" в бельгийском городе Генте, пригласив ответить на письмо ряд докладчиков, в том числе Наоми Кляйн. Ниже приводится ее речь (в чуть расширенном виде), прочитанная на конференции.

Премьер-министр Верхофштадт,

Благодарю Вас за письмо "протестующим антиглобалистам". Крайне важно, что Вы начали эти публичные дебаты. Должна признаться, что за последние несколько лет привыкла к другому отношению со стороны мировых лидеров: нас либо сбрасывают со счетов как часть маргинального бродячего цирка, либо приглашают на переговоры за закрытыми дверями, где никто ни перед кем не подотчетен.

Я уже начала думать, что к критикам глобализации осталось только два рода отношения: маргинализация и кооптация. Ах да, и криминализация. Это третий. Подлинные дебаты по этим вопросам — открытое провозглашение различных мировоззрений — помимо слезоточивого газа и наклеивания ярлыков встречаются крайне редко.

Но может статься, здесь не так много протестующих антиглобалистов, как Вам, г-н премьер-министр, хотелось бы. Это отчасти потому, я полагаю, что многие в этом движении не видят в нас своих представителей. Многим надоело, что за них и о них говорят. Они требуют более прямой формы политического участия.

Много спорят также и о том, за что выступает это движение. Я, например, резко возражаю против Вашего термина "антиглобализация". Я, как мне представляется, вхожу в сеть движений, которые борются не против глобализации, а за более глубокие, отзывчивые демократические системы на местном, национальном и интернациональном уровнях. Эта сеть столь же глобальна, как и сам капитализм. И это, вопреки Вашему высказыванию, никакой не "парадокс".

Хватит отождествлять базовые принципы интернационализма и взаимосвязанности — принципы, против которых выступают только луддиты и узкие националисты, — с конкретной экономической моделью, причем весьма спорной. Речь идет не о достоинствах интернационализма. Все активисты, которых я знаю, — ярые интернационалисты. Нет, мы ставим под вопрос интернационализацию только одной экономической модели — неолиберализма.

Если проводить подлинные дебаты, то, что мы называем "глобализацией", должно быть переформулировано не просто как неизбежная стадия человеческой эволюции, но как глубоко политический процесс: набор продуманных, обсуждаемых и обратимых вариантов того, как глобализоваться.

Путаница в вопросе о том, что мы подразумеваем, применяя термин "глобализация", происходит отчасти потому, что данная экономическая модель имеет тенденцию относиться к торговле не как к составляющей интернационализма, а как к перекрывающей его инфраструктуре. Она постепенно заглатывает все остальное — культуру, человеческие права, природное окружение, саму демократию — в пасть торговли.

Когда мы ставим под сомнение эту модель, мы обсуждаем не достоинства торговли без границ товарами и услугами, а последствия идущей во всем мире глубокой корпоратизации, то, как "общая собственность" трансформируется и переделывается — урезается, приватизируется, дерегулируется, — и все во имя участия и возможности конкурировать в глобальной торговой системе. То, что разрабатывается как ВТО, не есть набор правил торговли, а трафарет безразмерного, одного на все случаи жизни правительства, так сказать, "МакДогмы". Вот этот-то трафарет нами и оспаривается.

После 11 сентября американцы вплотную сталкиваются с этим прессом: их больницы, почтовые отделения, аэропорты и системы водоснабжения стараются как-то справляться с терроризмом, который проникает через прорехи в государственном секторе. И миллионы людей, теряющих работу, выясняют, что их уже не подстраховывает никакая социальная сетка безопасности, — это еще одна уступка во имя торговли. Канадцы сегодня идут на экстремальную уступку: контроль над своими границами в обмен на продолжение свободной торговли с США.

Сотни тысяч человек собираются у дверей совещаний по торговле не потому, что они против торговли как таковой, а потому, что реальная потребность в торговле и инвестициях систематически используется для подрыва самих принципов самоуправления. "Управляйте по-нашему, или останетесь в стороне" — вот что сходит за принцип многосторонних отношений в эпоху неолиберализма.

По мере прояснения уязвимых сторон этой экономической модели мы становимся способны учиться на своих ошибках, сверять эту модель с преследуемыми нами целями и спрашивать: стоят ли того все эти жертвы? Похоже, что не стоят. После 11 сентября политики продолжают в своем же духе: налоговые льготы для бизнеса и дальнейшая приватизация служб в США и во всем мире.

Один из первых пунктов повестки дня очередной [ноябрь 2001 г.] встречи Всемирной торговой организации — Генеральное соглашение по торговле услугами, профильное соглашение, которое последовательно добивается проникновения рынка в государственные службы, включая сюда здравоохранение, образование и водоснабжение. Оно также ограничивает способность правительств устанавливать и проводить в жизнь здравоохранительные и экологические стандарты.

Но странам нужна торговля, говорите вы, особенно бедным странам, а чтобы была торговля, нужны правила. Разумеется. Но почему бы не выстроить архитектуру международных связей на принципах прозрачности, подотчетности и самоопределения, что делало бы свободными людей, а не либерализированным — капитал?

Это означало бы проведение в жизнь тех самых прав человека, что делают возможным самоопределение, вроде права формировать независимые профсоюзы через Международную организацию труда (МОТ). Это означало бы снятие диктата, который систематически держит демократию в оковах: долгов, программ структурного урегулирования, насильственной приватизации. Это также означало бы исполнение давних обещаний земельной реформы и компенсаций за рабство. Международные правила можно составить так, чтобы демократия и народное представительство были не просто пустыми словами.

Не сомневаюсь, что Вы, г-н премьер-министр, согласитесь со всем этим. Действительно, читая Ваше письмо, я поражалась сходству провозглашаемых нами целей. Вы призываете к “глобальному этическому подходу к природному окружению, к трудовым отношениям и к монетарной политике”. Я тоже желаю этого. Тогда — вопрос по сути: зачем мы здесь, о чем наши дебаты?

Увы, о чем дебаты и о чем должны быть дебаты (а иначе никогда не будет мира у дверей саммитов) — это послужные списки. Не слова, а дела. Не добрые намерения — в таковых недостатка не бывает, — а суровые и все ухудшающиеся факты: стагнация оплаты труда, резкое увеличение пропасти между богатыми и бедными, эрозия базовых услуг по всему миру.

Несмотря на всю риторику открытости и свободы, мы видим, как постоянно воздвигаются и становятся выше все новые заграждения: вокруг центров беженцев в австралийской пустыне, вокруг двух миллионов граждан США в тюрьмах; заграждения, превращающие целые континенты — Северную Америку, Европу — в крепости, отгораживающие их от Африки. И, конечно, заграждения, воздвигаемые всякий раз, когда мировые лидеры собираются вместе на совещание.

Глобализация должна была, по идее, приносить открытость и интеграцию, а наши общества неуклонно становятся все более закрытыми, более охраняемыми, требующими все больше секьюрити и военных для сохранения несправедливого статус-кво.

Глобализация должна была, по идее, создавать новую систему равенства между народами. Мы сходились вместе и соглашались жить по одним и тем же правилам — во всяком случае, так было сказано. Но теперь очевиднее, чем когда-либо, что большие игроки по-прежнему устанавливают правила и проводят их в жизнь, часто навязывая их всем, кроме себя, — будь то сельскохозяйственные или сталеплавильные субсидии или импортные пошлины.

Такого неравенства и асимметрии, всегда бурлящих ниже поверхности, теперь избежать невозможно. Многие страны, прошедшие или проходящие через экономический кризис — Россия, Таиланд, Индонезия и Аргентина, чтобы не перечислять слишком много, — были бы рады крайним мерам правительственного вмешательства, какие были предприняты недавно для спасения экономики США, вместо суровой экономии, какую предписывает МВФ. Губернатор Вирджинии объяснил сокращение налогов и рост субсидий в США тем, что американская рецессия — это "не ординарный экономический спад". Но что делает экономический спад "экстраординарным", требующим расточительного экономического стимулирования, в отличие от "ординарного", требующего жесткой экономии и горьких лекарств?

Самая поразительная из этих недавних бесстыдных демонстраций двойных стандартов относится к лекарственным патентам. По правилам Всемирной торговой организации страны вправе нарушать патенты на спасающие жизнь лекарства при чрезвычайном положении национального уровня. И однако же, когда Южная Африка попыталась использовать лекарства от СПИДа, крупные фармацевтические компании предъявили ей иск. Когда Бразилия попыталась сделать то же, ее приволокли в трибунал ВТО. Миллионам людей, живущих со СПИДом, по сути дела, сказали, что их жизнь ценится ниже лекарственных патентов и выплаты долгов, что для их спасения просто нет денег. Всемирный банк говорит, что пора сосредоточиться на профилактике, а не на лечении, что означает смертный приговор миллионам.

А чуть раньше в этом же месяце Канада решила нарушить патент фирмы Bayer на Cipro, предпочтительный антибиотик против сибирской язвы*. Мы заказали миллион таблеток "generic" — того же лекарства, но без фирменного названия. "Это экстраординарные, необычные времена, — сказал представитель Health Canada**. — Канадцы вправе ожидать и требовать, чтобы их правительство приняло все необходимые меры для их здоровья и безопасности". Заметим, что в Канаде до сих пор не зарегистрировано ни одного случая сибирской язвы.

Хотя впоследствии, когда Bayer снизил цены, это решение было отменено, здесь сработала та же самая логика: когда речь идет о развитых странах, правила применяются по-другому. Степень подчинения абстрактной экономической теории стала мощным разделителем по уровням. Богатые и могущественные страны выбирают, когда им надо следовать провозглашенным правилам, а слаборазвитым говорят, что каждым их движением должна управлять экономическая правоверность, что они должны отдаться на милость идеологии свободного рынка, которую отбрасывают, когда она им неудобна, даже сами ее творцы. Когда слаборазвитые страны ставят потребности своих граждан выше интересов иностранных инвесторов, их чернят как протекционистов и даже как коммунистов. А при этом протекционистские правила, которые выпестовали британский промышленный переворот, были настолько всеобъемлющими, что незаконным считалось даже похоронить человека, не представив доказательства, что его саван был выткан на британском станке.

---

* Порошок с возбудителем сибирской язвы использовался в террористических целях в США в 2002 г.

** Федеральное ведомство здравоохранения.

Какое отношение это имеет к нашим дебатам? Мы слишком часто делаем вид, будто неравенство существует и углубляется только в силу национальных черт характера, или потому, что мы не набрели на правильный свод правил, на безупречную формулу, как если бы это неравенство было неким вселенским недосмотром, неким сбоем в нормально функционирующей во всех прочих отношениях системе. И всегда в этих дискуссиях отсутствует вопрос о власти. А ведь множество дебатов о теории глобализации на самом деле суть дебаты о власти: кому она принадлежит, кто ею пользуется и кто ее маскирует, притворяясь, что она уже не важна.

Но уже недостаточно говорить, что справедливость и равенство ждут за поворотом, и при этом не предлагать ничего в залог, кроме благих намерений. Мы только что прошли через период высочайшего экономического процветания, времени несдержанности и изобилия, когда и надо было бы обратиться к коренным противоречиям этой экономической модели. Теперь мы вступаем в период спада, и вот теперь от тех, кто уже и так понес слишком большие жертвы, требуют еще больших.

Неужто нас и правда можно умиротворить посулами, что наши проблемы разрешит более развитая торговля? Более строгая защита лекарственных патентов и большая приватизация? Сегодняшние глобализаторы похожи на врачей с единственным лекарством: какой бы ни была болезнь — будь то нищета, миграция, климатические изменения, диктатуры, терроризм, — в качестве лекарства всегда прописывается побольше торговли.

Г-н премьер-министр, мы не антиглобалисты. На самом деле, мы тоже проходим через собственный процесс глобализации.

И именно из-за глобализации система находится в кризисе. Мы слишком много знаем. На уровне масс слишком велика коммуникация и мобильность, чтобы пропасть оставалась на месте. Не только пропасть между богатством и бедностью, но и между риторикой и реальностью. Между сказанным и сделанным. Между посулами глобализации и ее реальными последствиями. Пришла пора засыпать эту пропасть.

РЫНОК ПРОГЛАТЫВАЕТ ОБЩУЮ СОБСТВЕННОСТЬ

[Глава, в которой доступ к безопасной пище, чистой воде и доступному жилью отгорожены забором, а антикапитализм становится новомодным маркетинговым слоганом]

Генетически измененный рис

Пиар маслом не намажешь

Август 2000

“Этот рис может спасти миллион детей ежегодно”. Такой захватывающий заголовок украсил обложку журнала Time за прошлую неделю. Речь идет о рыночной новинке — золотистом рисе, новом сорте генетически выведенного зерна, богатого бета-каротином, который содействует выработке витамина А в организме. Миллионы недоедающих детей по всей Азии страдают дефицитом витамина А, что может вести к слепоте и смерти.

Чтобы дать толчок своему якобы чудодейственному средству, компания AstraZeneca, владеющая маркетинговыми правами на золотистый рис, предложила пожертвовать его бедным крестьянам в таких странах, как Индия, где генетически выведенные культуры до сих пор встречают яростное сопротивление.

Возможно, что золотистый рис действительно может поправить здоровье миллионам детей. Проблема в том, что не существует возможности отделить эти эмоционально заряженные утверждения (и ограниченные научные данные в их поддержку) от перегретого политического контекста, в котором такие обещания даются.

Генетически модифицированные (ГМ) продукты, первоначально встреченные штампованными разрешениями со стороны правительств и безразличием публики, быстро стали поводом для мирового общественного беспокойства по всевозможным направлениям — от продовольственной безопасности до корпоративно финансируемой науки и приватизированной культуры. Оппоненты выдвигают доводы, что существующие стандарты тестирования не принимают во внимание сложной паутины взаимозависимостей, которая существует между живыми организмами. Модифицированная соя, например, может выглядеть безопасно в контролируемой тестовой среде, но как будет она, произрастая в природе, влиять на питающихся ею насекомых, на другие дикие, перекрестно опыляющиеся с нею растения?

Компании агробизнеса не видели опасности: им представлялось, что борьба пойдет между брендами и научно-исследовательскими школами. На ранней стадии активисты решили нацелить свою критику не на сам агробизнес, а на брендовые супермаркеты и фасовочные компании, продающие “франкенпродукты”*.

Британские супермаркеты, чьи брендовые названия оказались запятнанными, начали снимать подобные продукты со своих полок, и такие компании, как Gerber и Frito-Lay, стали “ГМ-чистыми”. В США и Канаде экологические активисты положили глаз на Kellogg's и Campbell's Soup, пародируя их старательно выпестованные логотипы и дорогостоящие рекламные кампании.

Поначалу компании агробизнеса не могли сообразить, как отвечать. Даже заявляя, что их продукты не наносят вреда, никакой прямой питательной пользы они указать не могли. От-

* Это название образовано от фамилии героя одноименного романа английской писательницы Мэри Шелли (XIX в.) «Франкенштейн», создавшего человекоподобного монстра, который его и погубил. В переносном смысле — творение рук человеческих, приносящее гибель своему создателю.

сюда возникал вопрос: зачем тогда рисковать? Вот где золотистый рис и пришелся кстати. AstraZeneca теперь может указать на такую пользу — и использовать еще один собственный мощный бренд в конкурентной борьбе. У золотистого риса есть все ласкающие душу составляющие сильного бренда. Во-первых, он золотистый, как золотистый ретривер, золотая кредитная карта, золотой закат. Во-вторых, в отличие от других генетически сфабрикованных продуктов, он не запачкан кошмарными рыбьими генами, а скорее ассоциируется с золотыми нарциссами. Но прежде чем мы примем в свои объятия генетическую инженерию как спасительницу мировой бедноты, представляется разумным разобраться, какие проблемы тут решаются. Кризис ли это недоедания или кризис доверия, поразивший биотехнологию?

Скучная правда — в том, что у нас уже есть средства спасать много больше, чем миллион детишек в год, — и все без необратимых модификаций основных продовольственных продуктов. Но для мобилизации этих ресурсов нам не хватает политической воли. Таков был явный сигнал, исходивший от недавнего саммита Большой восьмерки в Окинаве. Крупнейшие индустриальные державы отвергали одно за другим конкретные предложения, направленные на уменьшение нищеты в развивающихся странах. По сообщениям The Globe and Mail, они отвергли “канадское предложение увеличить на 10% помощь по развитию, не пропустили идею Японии учредить фонд Восьмерки по борьбе с инфекционными заболеваниями, отказались открыть в течение четырех лет свои рынки для сельскохозяйственных продуктов из развивающихся стран". Они также "сказали "нет" новому плану ускорить 100-миллиардное облегчение долгов развивающихся стран".

[*Еще красноречивее был июньский 2002 года саммит Организации по продовольствию и сельскому хозяйству ООН в Риме. Честолюбивой целью собрания было уменьшение к 2015 году числа голодающих вдвое, с 800 миллионов до 400. Но из 29 самых богатых стран своих глав государств послали в Рим только две, да и то одной из них была Италия, чей глава уже был на месте.*]

Имеется также множество низкотехнологичных решений дефицита витамина А, которые игнорируются. Уже существуют программы поощрения выращивания многообразных, богатых витаминами овощей на небольших участках, однако ирония таких программ (которые и не пользуются сильной международной поддержкой) состоит в том, что их задача не изобретать новые улетные научно-фантастические источники продовольствия, а в том, чтобы исправить вред, нанесенный западными компаниями и правительствами, когда они последний раз продавали развивающимся странам сельскохозяйственную панацею. Во время так называемой "зеленой революции" мелких фермеров-крестьян, выращивавших широкий ассортимент культур для прокорма своих семей и окрестных жителей, заставляли переключаться на индустриальное, ориентированное на экспорт сельское хозяйство. Это означало крупномасштабное культивирование одной высокоурожайной культуры. Многие крестьяне, оказавшиеся теперь на милости изменчивых цен и с большими долгами семенным компаниям, лишились своих ферм и переместились в города. Тем временем в сельской местности наблюдаются серьезные проблемы с едой, когда рядом — процветающие плантации “товарных культур” типа бананов, кофе и риса. Почему? Потому что в питании детей, как и на полях, многообразие продуктов вытеснено монотонностью. Чашка белого риса на обед и чашка на ужин.

Какое решение предлагают гиганты агробизнеса? Не пересмотр монокультурного земледелия и не наполнение этой чашки белками и витаминами. Они хотят взмахнуть очередной волшебной палочкой и выкрасить белую чашку в золотистый цвет.

Генетическое засорение

Когда ветер разнесет по полям семена генетически модифицированных растений, никакие продукты нельзя будет считать “генетически чистыми”

Июнь 2001

На торговых рядах гигантского супермаркета Loblaws, в серии органических продуктов* под названием “Выбор президента”, среди бутылок с соусом Memories of Kobe и пакетами лапши Memories of Singapore мелькает магазинная новинка: зачерненные надписи на этикетках. Раньше на них стояло “Без генетически модифицированных ингредиентов”, но потом крупнейшая в Канаде продовольственная сеть постановила, что подобные наклейки больше недопустимы.

На первый взгляд, это решение в рыночном отношении неразумно. Когда в Европе начались протесты против франкенпродуктов, такие сети, как Tesco и Safeway, изо всех сил старались удовлетворить требования покупателей и помечали свои серии продуктов как ГМ-чистые. И когда Loblaws присоединилась к рынку здоровой пищи со своей серией President’s Choice Organics, она как будто пошла по тому же пути. В своей рекламе компания гордо указывала, что сертифицированные органические продукты “не должны содержать органически модифицированных организмов”.

---

* То есть произведённых без применения химикатов и вообще индустриальных методов.

И вдруг поворот на 180 градусов, объявленный на прошлой неделе: Loblaws не только перестанет объявлять ГМ-чистыми собственные упаковки, но и не разрешит никому другому. Руководство компании говорит, что уже просто невозможно знать, что же по-настоящему чисто от ГМ-компонентов — слишком все перепуталось.

Более 90% канадцев на опросах говорят, что хотят иметь наклейки, сообщающие, переделан ли генетический состав покупаемого ими продовольствия, но Гален Вестон, председатель совета директоров Loblaw Companies, предупредил в печати, что эта инициатива "повлечет за собой расходы". Это отчасти объясняет вымарывание: если Loblaws продает органические продукты, помеченные как ГМ-чистые, то как объяснишь, почему эта фирма не информирует потребителей, когда продукты содержат генетически модифицированные ингредиенты, что верно в отношении примерно 70% канадского продовольствия. И потому она приняла радикальное решение: вместо опубликования части требуемой потребителями информации она не станет давать никакой.

И это только один залп в войне индустрии агробизнеса против потребительского выбора, в полемике о генной инженерии — и не только в Канаде, но, в потенциале, и по всему миру. Перед лицом 35 стран, уже разработавших или разрабатывающих законы об обязательных пометках на продовольствии, индустрия, похоже, делает все возможное, чтобы эти европейские и азиатские этикетки потеряли актуальность, как те, что были зачеркнуты в Loblaws. Как? Загрязняя быстрее, чем страны могут принимать законы.

Пример компании, которую заставили снять этикетку, — Nature's Path, фирма органических продуктов, базирующаяся в Дельте, штат Британская Колумбия. Президент компании Аррен Стивенс недавно сказал газете The New York Times, что ГМ-материал и вправду проникает в органически выращиваемые культуры. “Мы обнаружили их следы в кукурузе, которую выращивали органически 10–15 лет. Нет такой стены, за которой можно было бы упрятать это добро”.

Некоторые компании органических продуктов собираются предъявить иск биотехнической индустрии за заражение, но законодательство движется в противоположном направлении. Компания Monsanto подала в суд на саскачеванского фермера Перси Шмайзера, после того как ее патентованные генетически измененные рапсовые семена занесло на его поле с проезжавшего мимо грузовика и с соседних полей. Monsanto утверждает, что с того момента, как летучие семена пустили корни, Шмайзер крадет ее собственность. Суд согласился и два месяца назад повелел фермеру заплатить компании 20 000 долларов плюс судебные издержки.

Самый известный случай засорения — кукуруза StarLink. После того как генетически измененная культура (предназначавшаяся для животных и признанная непригодной для человека) проникла в продовольственное снабжение, Aventis, обладатель патента, предложила такое решение: вместо того чтобы исключить производство такой кукурузы, почему бы не санкционировать ее потребление людьми? Иными словами, подогнать закон под его нарушение.

Потребители во всем мире набирают политическую силу, требуя доступности органической пищи в супермаркетах и требуя от своих правительств отчетливых пометок на этикетках ГМ-продовольствия. И одновременно с этим гиганты агробизнеса при поддержке хищнических законов об интеллектуальной собственности настолько безнадежно засоряют, перекрестно опыляют, загрязняют и перемешивают продовольственные продукты, что законодателям скоро придется поднять руки. Как говорит недруг биотехники Джереми Рифкин, "они надеются нагадить настолько, чтобы просто поставить всех перед фактом".

Вспомним же этот момент, жуя генетически модифицированную здоровую пищу Natural Values™, санкционированные для человеческого питания кукурузные лепешки от StarLink и мутированную, искусственно разводимую атлантическую семгу, вспомним этот момент утраты нашего выбора в питании. Может быть, Loblaws даже откроет новую линию продуктов, в которых будет упаковано это ностальгическое ощущение, и назовет ее "Воспоминания о потребительском выборе" (Memories of Consumer Choice).

Жертвенные агнцы ящура

Главная цель забоя европейского скота — спасение рынка, а не охрана народного здоровья

Март 2001

Талибы уничтожают двухтысячелетние статуи Будды, и мы справедливо возмущаемся: какое варварство — в наше время приносить скульптурные образы на алтарь религиозной чистоты! А в то же время, пока в Афганистане бомбят будд, Европейский Союз проводит собственный квазибиблейский очистительный ритуал: огненное жертвоприношение десятков тысяч животных во умиротворение алчных богов свободно-рыночной экономики. Когда я впервые услышала, что о домашнем скоте говорят как о "жертвенных агнцах капитала" (мне об этом рассказал немецкий защитник природы Матиас Греффрат), то подумала, что здесь явная поэтическая гипербола. Ведь ради сохранения народного здоровья полыхали эти горы туш, а не ради поддержания стоимости мяса или будущего доступа на иностранные рынки!

Сегодня в Британии убивают или уже убили более пятидесяти тысяч животных, и еще десять тысяч намечены на убой. В Германии, куда я ездила на этой неделе, уничтожено полторы тысячи овец. Свидетельств инфекции не было — только вероятность, что животные имели контакт с вирусом ящура.

Кое-что из этого имеет, конечно, отношение к здоровью. Но не все. Ящур для человека опасен мало и посредством еды не передается. У животных болезнь быстро лечится с помощью медикаментов, есть и профилактические вакцины. Истинную жатву пожинает вирус на рынке. А рынок требует величественных жестов для восстановления веры в его системность.

Не следует заблуждаться: в нынешней европейской продовольственной панике испытанию подвергается именно система. Когда такой вирус, как ящур, оказывается на продовольственном конвейере, это заставляет потребителей задуматься: а как наша пища попадает к нам на стол? Обтекаемые выражения типа "интеграция", "гомогенизация", "высокоинтенсивное сельское хозяйство" вдруг обретают наглядный смысл.

Процесс оценки безопасности каждого куска бесцеремонно отдергивает завесы фасовки и выставляет напоказ фабрики-фермы и скотобойни, гигантские склады, мегасети супермаркетов и точек "фаст-фуд", а также те огромные расстояния, которые животные и туши преодолевают в тесно набитых грузовиках и трюмах между всеми этими звеньями цепи агроиндустрии и торговли.

Все чаще кажется, что испытанию в Европе сейчас подвергается тирания "экономии за счет роста масштаба", которая управляет каждым аспектом производства, распределения и потребления продовольствия. В каждой из этих областей игроки следуют привычной формуле: снижать затраты путем консолидации и расширения операций и потом этой своей мощью заставлять поставщиков действовать на нужных условиях. Эта тактика не только ущемляет интересы мелких фермеров и ограничивает многообразие доступных продуктов, но и, когда речь заходит о болезни, является бомбой замедленного действия. Концентрация означает быстрое распространение вируса среди большого числа животных, а глобализация гарантирует их развозку во все концы мúра.

Вот почему германский министр сельского хозяйства и говорит о новых субсидиях, которые помогли бы 20% ферм страны перейти на органическое производство, а британский премьер-министр Тони Блэр шумно требует ослабить хватку гигантских сетей супермаркетов. И вот почему те, кто надеется дать полный ход генетически модифицированным продуктам, наблюдают все это с несомненным смятением.

Последняя продовольственная паника вполне могла быть решающим шансом, которого ждали участники кампаний против генетической модификации, поскольку самая непосредственная опасность, которую представляют ГМ-культуры, — это то, как измененные семена разносятся ветром и перемешиваются с неизмененными. Ведь до сих пор было трудно привлечь внимание общественности к этой тонкой и невидимой угрозе биомногообразию. Поэтому организации типа Greenpeace были склонны нацеливать свои кампании на потенциальные угрозы общественному здоровью, которые, хоть и более понятны, но менее обоснованы научно.

А вот теперь ящур, который передается по воздуху, заставил немалую часть Европы задуматься о микробах и о ветре, о том, как тесно сплетено все в продовольственном снабжении, как трудно проконтролировать нечто недоступное глазу, проникшее в систему. “Ну так становитесь вегетарианцами, — говорят некоторые. — Ешьте органическое”. Редакторы The Financial Times подчеркивают: “Постепенный отказ от интенсивного сельского хозяйства — это только сказать легко” — и ставят на больший “потребительский выбор”. Но как-то не верится, чтобы европейский кризис продовольственной безопасности был на этот раз разрешен с помощью расширенного маркетинга органической ниши. После более десяти лет дебатов — о коровьем бешенстве, E.coli*, ГМ-организмах, а теперь о ящуре — продовольственная безопасность перестает быть вопросом здоровья или потребления, а становится вопросом экономическим, ставящим под сомнение самую базовую посылку индустриального сельского хозяйства — *чем крупнее, тем лучше*.

Речь идет о пошатнувшейся вере — в науку, в индустрию, в политику, в экспертов. Рынки, может быть, и удовлетворятся своими жертвенными агнцами, но публика, думается мне, может потребовать более результативных мер.

---

* E. coli. - бактерия, устойчивая к большинству антибиотиков, способна вызывать понос, обезвоживание организма, нарушать работу почек, что может в отдельных случаях привести к летальному исходу.

Интернет как тусовка Tupperware*

Как медийные гиганты стараются завладеть совместным онлайновым пользованием файлами

Ноябрь 2000

Когда в минувшие выходные два высших руководителя нью-йоркской музыкальной компании BMG Entertainment подали в отставку, обнажился глубокий раскол во взглядах транснациональных компаний на интернетную культуру совместного пользования. Несмотря на все попытки превратить сеть в гигантский торговый центр, ее дух по умолчанию все равно остается антишопинговым: в Интернете мы можем покупать, и покупаем, но мы также беспрерывно делимся — идеями, шутками и, да, музыкальными файлами.

Так вот, в советах директоров идут дебаты: эта культура онлайнового перекачивания и обмена — угроза самому сердцу бизнеса, прибыли как его движителя, или, напротив, это беспрецедентная возможность получения прибыли, шанс превратить само

---

* Выражение не переводится, так как не имеет аналогов в русском обиходе. Tupperware — это набор всевозможных пластмассовых контейнеров с крышками для домашнего пользования. Их продают через сеть распространителей. Обычно это домохозяйки; они периодически созывают на такие вот “тапперверные посиделки” домохозяек округи, которые и покупают эту посуду в непринуждённой домашней обстановке. Это выражение ассоциируется в США с образом жизни именно домохозяек среднего класса, весь интерес и всё содержание жизни которых сводится к обустройству дома и семьи.

совместное пользование в чрезвычайно прибыльное орудие торговли?

Когда пять крупнейших фирм звукозаписи под эгидой Американской ассоциации индустрии звукозаписи (Recording Industry Association of America, RIAA) возбудили дело против Napster, сайта для совместного пользования музыкальными файлами (файл-шеринга), они решительно связали свою судьбу с первым лагерем: файл-шеринг — это кража авторских прав, чистая и простая, и ее необходимо остановить.

Но на прошлой неделе случилось нечто странное: Bertelsmann, владелец BMG Entertainment (одной из пяти компаний, стоящих за иском RIAA), — заключила сделку с Napster (отсюда и отставки в BMG). Эти две компании теперь собираются открыть файл-шеринговый сайт, где пользователи будут платить членские взносы за доступ к музыке BMG. Как только сайт заработает, Bertelsmann выйдет из числа истцов. Председатель правления и исполнительный директор Bertelsmann Томас Миддлхофф на пресс-конференции выступил против других участников иска, Time Warner и Sony, которые просто не поняли Интернета. “Это призыв к индустрии — пора проснуться”, — сказал он.

Так что же происходит? Это что же, Bertelsmann, медийный конгломерат с оборотом в 17,6 миллиардов долларов США (владелец моего канадского издательства и, кажется, всех других), решила присоединиться к кибер-хиппи, которые скандируют “информация хочет быть свободной и бесплатной”? Как-то не верится. Скорее, Bertelsmann уразумела то, что начинает понимать все большее число корпораций: после множества неудачных попыток использовать Интернет как прямой инструмент торговли, может оказаться, что процесс обмена информацией и есть наилучшее коммерческое использование сети.

Защитники Napster утверждают, что они не занимаются пиратством, а обмениваются музыкой в онлайновом сообществе — как друзья обмениваются аудиокассетами. Они узнают вкусы друг друга, доверяют им и, по словам апологетов, в итоге покупают больше музыки, потому что больше узнают. Кроме того, говорят они, их подвигают на эту альтернативу раздутые цены на CD и невыносимо однообразная ротация поп-музыки на видеостанциях и коммерческом радио.

На самом деле, на сайтах типа Napster имеет место высокотехнологичный вариант чего-то очень старого: люди разговаривают друг с другом, о чем хотят. Раньше это называлось “из уст в уста” (word of mouth), в интернетный век — “от мыши к мыши” (word of mouse). Это — Х-фактор, который может породить настоящий феномен — вроде проекта “Ведьма из Блэра”, — и такой, что хозяевам рынка никак не удается ни скупить его, ни взять под контроль. Тому свидетельством — продолжение “Ведьмы из Блэра”.

А может, удастся? Попытки понять, систематизировать и приручить это самое человеческое из всех занятий (все мы почему-то разговариваем друг с другом) превратились в некую корпоративную одержимость. В книгах типа *The Tipping Point* Малькольма Глэдвелла, *The Anatomy of Buzz* Эммануэля Розена и *Unleashing the Ideavirus* Сета Година приводятся квазинаучные объяснения тому, как распространяются идеи: через рекламу меньше, чем через людей, пользующихся доверием в своей среде. Глэдвелл называет их “соединителями” и “знатоками”, Годин “вирусоносители”, а Розен “сетевыми центрами”.

На основе этой теории создалась маркетинговая школа, согласно которой компаниям следует относиться к потребителям как если бы они были журналистами или знаменитостями: подсовывать им бесплатное добро и наблюдать, как они осуществляют для вас маркетинг — бесплатно же. Говоря без прикрас, это значит превращать в высшей степени нетоварное занятие — человеческое общение между друзьями, между членами доверительных сообществ — в коммерческую сделку.

В этом двусмысленность атаки сайта Napster звукозаписывающей индустрией. Одной рукой — юридической — эти компании колошматят файл-шеринговые сайты, а другой — маркетинговой — обнимаются с теми же онлайновыми ввиду их коммерческого потенциала. Они платят таким фирмам, как ElectricArtists за стратегически продуманное распространение бесплатных музыкальных образцов и видеоклипов в надежде превратить музыкальных фанатов в батальоны бесплатных кибер-гербалайфщиков.

Сама Bertelsmann использовала технику "онлайнового посева" для раскрутки работающей с BMG исполнительницы Кристины Агилеры: ElecticArtists сбросила музыкальные образцы фанатам, общающихся по чату Бритни Спирс, и те забросали своих онлайновых друзей сообщениями с восхитительной вестью: ее клонировали!

Когда на прошлой неделе Bertelsmann заключила сделку с Napster, они сделали ставку на будущее. Имеется в виду, что тщательно контролируемое хозяевами рынка совместное пользование станет интернетным "убойным софтом" — глобальной сетью онлайнового бренда-болтовни на месте неподдельных сообществ.

Интернет как гигантская Tupperware-тусовка. Как вам?

Кооптирование инакомыслия

Как транснациональные корпорации проводят ребрендинг для постсиэтловской эпохи

Май 2001

Когда мне было семнадцать, я в свободное от школы время работала в одежном магазине Esprit в Монреале. Это была приятная работа, связанная, главным образом, со складыванием одежды из хлопка в маленькие квадраты с такими твердыми углами, что можно глаз выколоть. Но корпоративное начальство почему-то не сочло наши футболочные оригами достаточно прибыльными. Однажды наш тихий мирок был поставлен с ног на голову: к нам ворвалась региональный менеджер, чтобы обучить нас культуре бренда Esprit — и заодно повысить нашу производительность. "Esprit, — сказала она, — это как добрый друг".

Я усомнилась и не стала этого скрывать. Скептицизм, как я скоро узнала, в секторе низкооплачиваемых услуг не считается ценным активом. Две недели спустя начальница уволила меня за то, что я обладала самой неприемлемой на рабочем месте чертой — "неподобающей гримасой". Кажется, это был один из моих первых уроков в том плане, что транснациональные корпорации — вовсе не "добрый друг", ибо добрые друзья, хотя и могут порой делать нечто ужасное и зловредное, увольняют тебя редко.

Так вот, примерно месяц назад мое внимание привлек новый "брендовый образ" сети аптекарских магазинов Shoppers Drug Mart, разработанный рекламным агентством TBWA/Chiat/Day.

(Запуск "ребрендинга" — это, в корпоративных терминах, как новое рождение.) Оказывается, что эта сеть уже не просто "Все, что тебе надо, — в аптекарском магазине", а теперь еще и "заботливый друг", правда в виде сети из восьмисот аптекарских магазинов с рекламным бюджетом в 22 миллиона долларов, прожигающим дыру в ее кармане.

Новый слоган Shoppers — "Позаботься о себе" — выбран, по словам создательницы кампании Пэт Пириси, потому, что он отражает "привычную фразу заботливого друга"*. Приготовьтесь к тому, что его по тысяче раз в день будут произносить молодые кассирши, подавая вам пластиковый пакет с бритвами, зубочистками и диетическими пилюлями. "Мы считаем, что это такая позиция, которую Shoppers может назвать своей", — говорит Пириси.

Предлагать продавцам принять это конкретное высказывание в качестве своей мантры представляется немного бессердечным в наш век непостоянного, ненадежного, недостаточно оплачиваемого "Мак-вкалывания". Работникам сектора обслуживания потому так часто и велят позаботиться о себе, что никто, и уж точно не их мегаработодатель, о них не позаботится.

И все же это одна из иронических сторон нашего сбрендившего века — по мере того как корпорации все более отдаляются от своих работников, обрезая давние связи, они все более подбираются к нам как к потребителям, нашептывая на ушко милые бессмыслицы о дружбе и сообществе. Shoppers Drug Mart отнюдь

---

* Потому что "Позаботься о себе" — дословный перевод дружеской фразы, очень часто произносимой при прощании, "Take care of yourself".

не одинока: рекламные плакаты Wal-Mart рассказывают истории о продавщицах, ничтоже сумняшеся одалживающих покупательницам собственные подвенечные платья, а реклама Saturn — об автомобильных дилерах, предлагающих психологическое консультирование потерявшим работу клиентам. Видите ли, согласно новой книге по маркетингу *Values Added ("Добавленные стоимости")*, современные маркетологи должны "делать ваш бренд делом, которому надо служить, а дело, которому ты служишь, брендом".

Может быть, у меня и теперь неправильное отношение, но это коллективное корпоративное объятие физически так же неощутимо сегодня, как и тогда, когда я была складывательщицей рубашек на пороге безработицы. Особенно когда перестаешь принимать всерьез дело, которому служит все это "тепло" массового производства.

Объясняя газете Financial Post новый брендовый образ Shoppers, Пириси сказала: "В век, когда люди все менее и менее доверяют корпорациям — протесты на совещаниях Всемирной торговой организации тому свидетельство, — и во времена, когда система здравоохранения уже не та, что была раньше, мы поняли, что надо посылать потребителям послания о партнерстве".

С тех пор как корпорации типа Nike, Shell и Monsanto начали попадать под все более критический взгляд гражданского общества — главным образом за то, что ставят немедленные интересы получения прибыли намного выше экологической ответственности и надежного трудоустройства, — выросла целая индустрия, призванная помогать этим компаниям придумывать увертки. Но представляется очевидным: многие в корпоративном мире с всегдашней безусловностью убеждены, что единственная их проблема — какое послать послание, а это можно аккуратненько решить, составив якобы правильный, общественно-ответственный брендовый образ.

На самом деле, это им не поможет. British Petroleum познала это на собственном горьком опыте, когда ей пришлось открещиваться от собственной скандальной ребрендинговой кампании Beyond Petroleum ("Больше чем нефть"). Многие, понятное дело, истолковали новый лозунг как намерение компании уходить от ископаемого топлива в качестве реакции на климатические изменения. Но активисты-экологи и правозащитники, не видя признаков перемен в деятельности BP, вынесли на ежегодное собрание компании компрометирующие подробности об ее участии в спорном проекте нового трубопровода через чувствительные во многих отношениях районы Тибета, а также о решении бурить скважины в Национальном заповеднике Аляски. А Интернет пародировал новый лозунг как Beyond Preposterous ("Больше чем чушь"), и компания решила отказаться от бренда Beyond Petroleum, хотя пока что сохраняет сопутствующий ему логотип с зеленым цветком.

Как бы подтверждая царящую в корпоративном мире путаницу, меня часто приглашают выступать на корпоративных презентациях. Опасаясь, что мои слова перекочуют в какую-нибудь липучую рекламную кампанию, я всегда отказываюсь. Но могу без колебаний дать им один совет: не изменится ничего, пока корпорации не осознают, что у них проблема не с коммуникацией. У них проблема с реальностью.

Экономический апартеид в Южной Африке

После победы в борьбе за свободу расовая сегрегация заменяется новыми системами отвержения

Ноябрь 2001

В субботу вечером я оказалась на благотворительном вечере: чествовали Нельсона Манделу и собирали деньги для его детского фонда. Это было славное мероприятие, и только очень толстокожий человек указал бы на присутствие там многих банковских и горнорудных боссов, которые десятилетиями отказывались прекратить инвестиции в государстве апартеида — Южной Африке.

Точно так же, только человек без чувства времени стал бы упоминать о том, что пока наше правительство делало Манделу почетным гражданином Канады, оно одновременно старалось протолкнуть новый антитеррористический закон (Bill C-36), который атаковал бы движение против апартеида, существуй оно по сей день, сразу с нескольких фронтов. Канадское движение против апартеида собирало деньги для запрещенной в 1960 году в ЮАР партии Африканский национальный конгресс (АНК), который легко подпал бы под неряшливое определение террористической организации, содержащееся в билле C-36. Более того, активисты движения против апартеида намеренно чинили "серьезные помехи" компаниям-инвесторам в Южной Африке и в итоге заставляли многих из них оттуда уйти. По C-36 эти помехи были бы незаконными.

И только человек с полным отсутствием чувства приличия мог бы сказать, посреди потока самоублажений, что многие в Южной Африке настаивают, что апартеид все еще существует и требует нового движения сопротивления. А ведь две недели назад я познакомилась с Тревором Нгване, бывшим членом муниципального совета АНК, и он сказал буквально так. "Апартеид, основанный на расе, заменился апартеидом, основанным на классе".

Имея дело со страной, в которой восемь миллионов бездомных и почти пять миллионов заражены ВИЧ-инфекцией, некоторые стараются представить глубокое неравенство в ЮАР как мрачное и неизбежное наследие расового апартеида. Нгване заявляет, что это непосредственный итог конкретной программы экономической "реструктуризации", принятой нынешним правительством с подачи Всемирного банка и Международного валютного фонда.

Когда Манделу освободили из тюрьмы, у него было видение такой Южной Африки, которая предоставила бы людям экономическую свободу в дополнение к политической. Базовые потребности в жилье, воде и электричестве удовлетворялись бы посредством массовых программ общественных работ. Но когда АНК пришел к власти, объясняет южноафриканский профессор Патрик Бонд в своей новой книге *Against Global Apartheid* ("Против нового апартеида"), на партию стали оказывать огромное давление, она должна была доказать, что может управлять по "разумным макроэкономическим правилам". Стало ясно, что, если Мандела попробует реально перераспределять богатство, международные рынки накажут Южную Африку. Многие в партии справедливо опасались, что экономическое удушение будет использовано не просто против АНК, но против самой власти черных.

[*Их опасения впоследствии подтвердились. В июле 2002 года АНК собрался принять новый закон, который диферсфицировал бы доступ к гигантскому богатству полезных ископаемых Южной Африки, сегодня сконцентрировавшихся в руках нескольких горнодобывающих транснационалов с белыми владельцами. Крупные горнодобывающие инвесторы вооружились против этого плана и пригрозили уйти из страны. Джонатан Оппенгеймер, директор по связям с общественностью (PR) алмазного гиганта De Beers, сказал, что этот закон "поставит крест на Южной Африке как пункте назначения инвестиций"*.]

Итак, вместо своей политики "развития путем перераспределения" АНК, в особенности при президенте Табо Мбеки, принял трафаретную программу свободной торговли: пытаться "развивать" экономику, ублажая иностранных инвесторов массовой приватизацией, увольнениями, сокращением оплаты труда в государственном секторе и снижением корпоративных налогов и т. п.

Результаты получились катастрофические. По сравнению с 1993 годом исчезло полмиллиона рабочих мест. Оплата труда беднейших 40% населения упала на 21%. Расходы на воду в бедных районах выросли на 55%, на электричество даже и до 400%. Многие были вынуждены довольствоваться загрязненной водой, что привело к вспышке холеры, охватившей 100 000 человек. В двадцати тысячах домов в Соуэто каждый месяц отключают электричество. А инвестиции? Их все еще ждут.

Вот такой-то послужной список, сделавший Всемирный банк с МВФ вселенским пугалом, и собрал в прошедшие выходные тысячи людей на улицах Оттавы и на “протесте солидарности” в Иоганнесбурге. The Washington Post недавно опубликовала страшную историю одной из жительниц Соуэто, Агнес Мохапи. “При всей своей мерзости, — замечал репортер, — апартеид такого не делал: он не увольнял ее с работы, не взвинчивал ее счетов за коммунальные услуги, а когда она не смогла их оплачивать, не отключал ей электричество. “Это сделала приватизация”, - сказала она”.

Перед лицом этой системы “экономического апартеида” новое движение сопротивления неизбежно. В августе прошла трехдневная всеобщая забастовка против приватизации. (Рабочие несли плакаты “АНК, мы любим тебя, а не приватизацию”.) В Соуэто безработные самовольно задействовали отключенный водопровод, а Комитет по электрическому кризису в Совето незаконно включает электричество в тысячах домов. Почему полиция их не арестовывает? “Потому что, — объясняет Нгване, — когда электричество отключают у полицейских, мы подсоединяем и их”.

Похоже, что у корпоративных боссов, которым так не терпелось сфотографироваться с Нельсоном Манделой в прошедшие выходные, есть еще один шанс побороться с апартеидом — пока он еще продолжается. И они могут делать это не только посредством добросердечной благотворительности, но и ставя под сомнение экономическую логику, которая компрометирует столь многих по всему миру. На чьей стороне будут они на этот раз?

Ядовитая политика в Онтарио

Когда к базовым потребностям относятся как к товару

Июнь 2000

Завтра сразу после полудня несколько сот человек, многие из них бездомные, соберутся на ступенях Законодательного собрания провинции Онтарио с одним простым требованием. Они хотят поговорить с правительством консерваторов (тори) о последствиях его политики для бедноты. Если история нас чему-нибудь учит, то ясно: премьер Майк Харрис произнесет непреклонную речь о том, что избиратели Онтарио высказались во всеуслышанье и его не запугать — непосредственно перед вызовом полиции для разгона. Вопрос в том, как отреагируем мы, все остальные.

Я ставлю этот вопрос потому, что со времени вспышки E.coli в городе Уолкертоне, где более двух тысяч жителей заболели, потому что пили муниципальную воду, избиратели по всей Онтарио заглядывают себе в душу по части последствий, которые осуществляемое консерваторами "дерегулирование" будет иметь для обычных людей и их повседневной жизни. Повсюду разлит ужас при мысли — а вдруг именно правительственные урезания бюджета министерства окружающей среды и перепоручение этих вопросов муниципалитетам как раз и подвергли жителей Уолкертона огромному риску?

Общественное возмущение — могучая трансформирующая сила даже в, казалось бы, непроницаемом политическом анклаве

Майка Харриса. Это возмущение привело к назначению четырех расследований случаев водного кризиса, к обязательствам политиков решить выявленные проблемы и к предложению миллионов долларов в качестве компенсации. Трагедия заслуживает этого неотложного внимания, и еще большего. Но почему понадобились смерти в Уолкертоне, чтобы заставить нас увидеть, что абстрактная политика собирает свою жатву в жизни реальных людей?

Семь человек, а может, и больше, умерли, выпив воды, зараженной бактерией E.coli, а завтра Коалиция Онтарио по борьбе с нищетой пойдет маршем в Куинз-парк, потому что за последние семь месяцев на улицах Торонто умерли двадцать два бездомных. Связь между этими смертями и правительственными сокращениями и дерегулированием столь же неопровержима в Торонто, как и в Уолкертоне. Может быть, даже более, потому что в Торонто нам не нужно четырех расследований, чтобы установить эти связи, — их принимают как данность.

До того как на выборах победили консерваторы, на протяжении нескольких зим на улицах Торонто не умер ни один бездомный. Смерть начала собирать свою жатву в 1995 году, том самом, когда консерваторы урезали расходы на 21,6% и когда они зарубили план нового социального жилья. Сразу после этого экономического подъема, заслугу за который консерваторы любят приписывать себе, начали взвинчиваться цены на арендуемое жилье, тогда как принятый консерваторами закон о защите квартиросъемщиков сделал выселение гораздо более легким для владельцев. Сейчас примерно тысяче шестистам жильцов в Торонто ежемесячно грозит выселение.

Результат — ужасающее число людей на улице и недостаток коек для них в ночлежках. В прошлом году в городе было пять тысяч коек в общежитиях для экстренной помощи, но многие социальные работники утверждают: требуется вдвое больше. По мере того как в общежитиях и на улицах становится все теснее, в уличной культуре все больше деградации и насилия. И тут вступают консерваторы со своим законом о безопасных улицах, новой мерой, которая позволяет полиции обращаться с бездомными как с преступниками, главными поставщиками контингента для строящейся в Онтарио частной супертюрьмы.

Как существуют очевидные средства для предотвращения будущих уолкертонов, так есть и множество очевидных правительственных мер по предотвращению будущих смертей на улице. Больше жилья, лучшая защита квартиросъемщиков, меньше издевательств — можно начать хоть с этого. Группы борьбы с нищетой выдвинули "однопроцентное" решение проблемы — если все уровни правительства выделят один дополнительный процент своего общего бюджета на жилье, то количество доступных денег удвоится.

Сравнивая уолкертонские смерти от E.coli с кризисом бездомности в Торонто, я не стремлюсь выставлять одну трагедию против другой, как в какой-нибудь лотерее несчастий, а только хочу показать, что в полемике о бездомности отсутствуют два элемента: шумное общественное возмущение и политическая воля предотвратить будущие трагедии.

Вот Онтарио Майка Харриса в действии. Первый урок "Революции здравого смысла" [избирательного лозунга консерваторов, под которым они пришли к власти] состоит в том, что в провинции Онтарио отчетливо выделяются два класса людей: принадлежащие системе и находящиеся вне ее. Тех, кто внутри, вознаградили сокращением налогов, тех, кто снаружи, оттолкнули еще дальше.

Жители Уолкертона вроде бы внутри: работящие, платящие налоги, здоровые, голосующие за консерваторов. Умершие на улицах Торонто были изгнаны прочь с самого первого дня "революции здравого смысла": безработные, бедные, душевнобольные. Только теперь нарисованные консерваторами аккуратные линейки иерархии человечества размываются. "Повестка дня Харриса идет дальше уничтожения социальной структуры, она уже начала разъедать саму физическую структуру, на которую опирается каждый, — говорит Джон Кларк, общественный представитель Коалиции Онтарио по борьбе с нищетой, группировки, которая организует завтрашнюю демонстрацию. — В конце концов, становится очевидно, что под обстрел попадает каждый".

Слабейший фронт Америки
Государственный сектор

Октябрь 2001

Спустя всего несколько часов после нападения террористов на Всемирный торговый центр и Пентагон конгрессмен-республиканец Курт Уэлдон, выступая по CNN, объявил, что и слышать не хочет ни о каком финансировании школ и больниц. Отныне речь идет только о шпионах, бомбах и прочих штуках, подобающих мужам. "Первоочередная задача правительства США — не образование, не здравоохранение, а оборона и защита граждан США, — сказал он, и позже добавил: — Я сам учитель и женат на медсестре — сегодня все это не имеет значения".

Но вот теперь выясняется, что эти пустяковые социальные службы имеют огромное значение. Ведь более всего делает США уязвимыми не какой-нибудь истощающийся военный арсенал, а недокормленный, обесцененный и осыпающийся государственный сектор. Новые поля сражения — не только Пентагон, но и почта, не только военная разведка, но и подготовка врачей и сестер, не новый улетный ракетный щит, а старое скучное Управление по делам продовольствия и медикаментов (Food and Drug Administration, FDA).

Стало модным едко отмечать, что террористы используют технологии Запада в качестве оружия против него самого — самолеты, электронную почту, мобильные телефоны. Но по мере роста страхов перед биотерроризмом вполне может оказаться, что его лучшее оружие — это прорехи и дыры в американской государственной инфраструктуре.

Что, не было времени подготовиться к атакам? Вряд ли. США открыто признают, что угроза биологических нападений существует со времен персидской войны, а Билл Клинтон возобновил призывы к защите страны от биотеррора после взрыва посольства в Восточной Африке в 1998 году. Но сделано было поразительно мало.

Причина проста: подготовка к биологической войне потребовала бы прекращения огня на более старой, менее драматичной американской войне — против государственной сферы. Вот несколько моментальных снимков с линии фронта.

Половина американских штатов не имеют федеральных агентов с подготовкой по биотерроризму. Центры контроля и профилактики заболеваний скрипят под угрозой сибирской язвы, их недофинансированные лаборатории с трудом справляются с потоком анализов. Исследований о том, как лечить заразившихся детей, проведено мало, а самый популярный антибиотик сипрон (cipro) детям не показан.

Многие врачи в системе американского государственного здравоохранения не обучены распознавать симптомы сибирской язвы, ботулизма или чумы. Недавно сенатская комиссия проводила слушания о том, что больницам и отделам здравоохранения не хватает базового диагностического оборудования, а обмен информацией затруднен, потому что у некоторых отделов здравоохранения нет электронной почты. Многие из них закрыты по выходным, и в них нет дежурного персонала.

Если такой беспорядок царит в лечении, то в федеральных программах вакцинации дела обстоят еще хуже. Единственная в США лаборатория, имеющая лицензию на производство вакцины сибирской язвы, оставила страну неготовой к ее нынешнему кризису. Почему? Типичный сбой приватизации. Раньше лабораторией в Лансинге, штат Мичиган, владел и управлял штат. В 1998 году ее продали фирме BioPort, которая обещала повысить эффективность. Новая лаборатория не прошла несколько инспекций FDA и на сегодняшний день не сумела поставить не единой дозы вакцины для вооруженных сил США, не говоря уже о населении в целом.

Если говорить об оспе, то и тут вакцины для всего населения далеко не хватает, что заставляет Национальный институт аллергии и инфекционных болезней экспериментировать с разбавлением существующих препаратов в пропорции 1 : 5, а то и 1: 10.

Внутренняя документация показывает, что Управление охраны окружающей среды США (U.S. Environmental Protection Agency) на годы отстает от графика мероприятий охраны водных запасов от биотеррористических актов. Согласно материалам аудиторской проверки, опубликованным 4 октября, EPA должно было выявить уязвимые точки в системах безопасности муниципального водоснабжения в 1999 году, но не сделало этого даже на первой стадии.

FDA показало себя неспособным ввести меры по лучшей защите продовольственных запасов от “агротерроризма” — смертоносных бактерий, которые могут быть запущены в продовольственные запасы. Чем более централизуется и глобализуется сельское хозяйство, тем более уязвимым становится этот сектор в смысле распространения заболеваний. А FDA, сумевшее проинспектировать лишь 1% поступающего под его юрисдикцией продовольственного импорта, говорит, что "отчаянно нуждается в дополнительных инспекторах".

Том Хэммондс, главный исполнительный директор Института продовольственного маркетинга — отраслевого учреждения, представляющего продавцов продовольствия, — говорит: "Возникни кризис — реальный или подстроенный, — и пороки существующей системы станут вопиюще очевидными". После 11 сентября Джордж Буш учредил ведомство "безопасности родины", призванное воспитать народ закаленным и готовым к любому нападению. А выясняется, что на самом деле "безопасность родины" означает бешеную гонку реорганизации базисной государственной инфраструктуры и воскрешение крайне размывшихся стандартов по безопасности и здравоохранению. Войска, стоящие на передовых позициях новой американской войны, воистину потрепаны в боях: это те самые чиновничьи структуры, которые вот уже два десятилетия урезают, приватизируют и поносят не только в США, но и практически во всех странах мира.

"Здоровье нации — вопрос национальной безопасности", — не так давно заметил секретарь по здравоохранению США Томми Томпсон. Неужели? Годами критики доказывают, что за все эти сокращения расходов, за "дерегулирование" и приватизацию расплачиваются люди — крушением поезда в Великобритании, вспышкой E.coli в Уолкертоне, пищевыми отравлениями, смертями на улицах, неадекватным здравоохранением. И все равно, до 11 сентября "безопасность", как всегда, была узко ограничена военными и полицейскими структурами — крепость, построенная на рушащемся фундаменте.

Если и есть урок, который надо усвоить, то он в том, что дело безопасности нельзя локализовать. Оно вплетено в нашу самую базовую социальную ткань — от почтового отделения до отделения скорой помощи, от метро до водохранилища, от школ до продовольственной инспекции. Инфраструктура — эта скучная штука, которая связывает всех нас вместе, — не теряет актуальности в серьезном деле борьбы с терроризмом. Она — фундамент нашей будущей безопасности.

III

ЗАБОРЫ ВОКРУГ ДВИЖЕНИЯ: КРИМИНАЛИЗАЦИЯ ИНАКОМЫСЛИЯ

Глава, в которой обильно вдыхаются газы, переодетые анархистами полицаи швыряют в "черные воронки" друзей, а в Генуе умирает мальчик

III

ЗАБОРЫ ВОКРУГ ДВИЖЕНИЯ: КРИМИНАЛИЗАЦИЯ ИНАКОМЫСЛИЯ

[Глава, в которой обильно вдыхаются газы, переодетые анархистами полицаи швыряют в "черные воронки" друзей, а в Генуе умирает мальчик]

Полицейские без границ

Правоохранительные структуры обмениваются приемами запугивания

Май 2000

— Мы усвоили уроки Сиэтла и Вашингтона, — говорит мне по мобильному телефону из Виндзора констебль Королевской канадской конной полиции (Royal Canadian Mounted Police, RCMP) Мишель Парадис — она отвечает за связь с прессой во время совещания Организации американских государств (ОАГ), которое состоится в Виндзоре, провинция Онтарио, в предстоящие выходные. Здесь к ней присоединятся несколько тысяч протестующих против планов ОАГ расширить NAFTA на всю Латинскую Америку и Карибский бассейн.

— И какие же это уроки? — спрашиваю я.

— Боюсь, этого я сказать не могу, — говорит она.

Жаль, потому что канадская полиция могла усвоить сколько угодно уроков по части того, как обращаться с протестующими, после демонстраций против Всемирной торговой организации в Сиэтле и против Всемирного банка и Международного валютного фонда в Вашингтоне. В отсутствие подробной информации от констебля Парадис, вот несколько ключевых уроков, которые конники, *похоже*, усвоили у своих коллег с Юга.

УРОК № 1: НАНОСИ УПРЕЖДАЮЩИЕ УДАРЫ

Местные активисты в Виндзоре говорят, что сотрудники RCMP звонили им и приходили на дом. Джоси Хейзен, художница-дизайнер, сделавшая плакат с рекламой демонстрации и диспут-семинара, организованного Канадским трудовым конгрессом, говорит, что к ней обратился сотрудник RCMP с расспросами об этих абсолютно легальных мероприятиях, об их организаторах и других сведениях об анти-ОАГовской деятельности. "Так они звонят многим людям, мы считаем, что это тактика запугивания, чтобы мы держались подальше от этих протестов", — говорит Хейзен.

УРОК № 2: СДЕЛАЙ ПОЛИЦЕЙСКОЕ НАСИЛИЕ НОРМОЙ

В Вашингтоне я встречала нескольких девятнадцатилетних активистов, у которых с собой было защитное снаряжение в виде плавательных очков и головных повязок, смоченных в уксусе. И дело не в том, что они собирались нападать на Starbucks: они просто уже привыкли, что слезоточивый газ — это то, что к тебе применяют, когда ты выражаешь свои политические взгляды.

Когда в 1997 году во время саммита Организации азиатско-тихоокеанского экономического сотрудничества в Ванкувере к студентам применили перечный спрей, в Канаде поднялась волна общественного возмущения. Теперь, за два с половиной года, мы видели столько насилий против демонстрантов, что вроде бы к ним и привыкли. В этом подлинное коварство полицейской жестокости: если с протестующими достаточно долго и открыто обращаться как с преступниками, они начинают выглядеть как преступники, и мы начинаем, пусть и бессознательно, приравнивать активизм к общественным злодеяниям, даже к терроризму.

УРОК № 3: СОТРИ ГРАНИ МЕЖДУ ГРАЖДАНСКИМ НЕПОВИНОВЕНИЕМ И НАСИЛИЕМ

Среди протестующих в Виндзоре есть фракция, собирающаяся осуществить акт гражданского неповиновения — собственными телами заблокировать доступы к совещанию ОАГ. Эта тактика известна в истории протестов и применяется во всем мире. В Северной Америке она пригодилась во времена движения за гражданские права, протестов против войны во Вьетнаме и, не так давно, в выступлениях индейцев, в трудовых спорах и в противостоянии 1993 года между экологическими активистами и лесозаготовителями в Клэйокуот-Саунде близ западного побережья Канады. Это ненасильственная тактика, но она причиняет неудобства.

То, что планируют протестующие к совещанию ОАГ в Виндзоре, — это сидячая забастовка на улицах. Она может раздражать идущих на работу, но когда разумные пути выражения общественного мнения уже исчерпаны — иной раз мелкие раздражители приводят к важным политическим победам.

И однако же, когда я разговаривала с констеблем Парадис, она неоднократно отзывалась о планах сорвать виндзорское совещание как о “насилии”, отказываясь признать, что блокирование дорог может быть устроено мирным путем. “Это различие демагогическое”, — говорила она.

Никто из организаторов виндзорской акции протеста не призывает к насилию, из чего возникает –

УРОК № 4: РАЗДЕЛЯЙ И ВЛАСТВУЙ

“Нас не беспокоят мирные протестующие, — сказала мне констебль Парадис. — Только то меньшинство, что склонно срывать мероприятия”. Это различие между хорошими протестующими — теми, кто только выкрикивает лозунги и размахивает плакатами в санкционированных местах, — и плохими, применяющими активные действия, было постоянным рефреном в устах полиции в Сиэтле и Вашингтоне.

Но активисты и сами усвоили некоторые уроки. Сиэтл показал, что гражданское неповиновение привносит столь необходимое чувство актуальности, привлекает внимание к официальным маршам и диспут-семинарам, мероприятиям, которые пресса, где главенствует принцип “принеси то, не знаю что”, обычно игнорирует. Так что в преддверии Виндзора организаторы практически достигли консенсуса в том, что нет необходимости выбирать одну тактику — их могут быть сотни, и активисты могут работать одновременно на нескольких уровнях.

Подлинная ирония, содержащаяся в полицейских атаках на активистов движения против свободной торговли, состоит в том, что все это происходит во время многомесячной проповеди о том, как расширяющаяся торговля с Китаем наполнит его граждан ненасытной жаждой демократии и свободы самовыражения. Очевидная правда в совсем противоположном: эта модель свободной торговли наносит такой ущерб столь многим людям по всему миру, что демократические страны намерены жертвовать правами собственных граждан ради беспрепятственного распространения ее программ.

Что приводит нас к уроку № 5, к которому не желают прислушиваться ни полиция, ни политики. В эпоху корпоративной глобализации политика становится крепостью, для нормального функционирования которой требуется все больше охраны и насилия.

Упреждающий арест

Полиция целит в кукловода в Виндзоре, провинция Онтарио

Июнь 2000

“Это Дэвид Солнит. Тот самый”.

Так представили мне в минувшую пятницу легендарного активиста из Сан-Франциско. Мы были в это время в Виндзорском университете — оба делали доклады на диспут-семинаре по деятельности Организации американских государств. Разумеется, я уже знала, что Дэвид Солнит — “тот самый”. Он был одним из организаторов в Сиэтле. Я уже много лет слышу его имя, обычно произносящееся с пиететом молодыми активистами, посещавшими его мастер-классы “Искусство и революция”.

Они выходят с них, переполненные новыми идеями об акциях протеста. О том, что демонстрации не должны быть квазимилитаристскими маршами, достигающими кульминации в размахивании плакатами у запертых на замок правительственных зданий. Нет, они должны быть “фестивалями сопротивления”, полными гигантских марионеток и театральной импровизации. Что их великими целями должно быть нечто большее, чем символы: протесты могут “отобрать обратно” общественное пространство для гуляния или для сада, могут остановить запланированное совещание, которое они считают деструктивным. Это теория “показывания, а не рассказывания"*, утверждающая, что одними криками о том, против чего выступаешь, умов не изменить. Ты изменяешь умы, устраивая акции, живо представляющие твои взгляды.

Поскольку я сама этой теории не обучена, моя речь перед студентами была бесхитростной лекцией о том, что протесты против расширения на всю Америку соглашения о свободной торговле суть часть более широкого антикорпоративного движения — против растущего корпоративного контроля над образованием, водоснабжением, научными исследованиями и другим.

Когда настала очередь Дэвида Солнита, он предложил каждому встать, обратиться к своему соседу и спросить, зачем он здесь. Во мне, дочери родителей-хиппи, выжившей в альтернативных летних лагерях, такие ритуалы мгновенной близости всегда вызывают желание убежать в свою комнату и захлопнуть дверь. Конечно, Дэвид Солнит должен был избрать своим соседом меня — и не удовлетворился простым "я приехала прочитать доклад". Так что я рассказала ему и про другое: как то, что я пишу о преданности молодых активистов борьбе за права человека и охрану природы, дает мне надежду на будущее и служит столь необходимым противоядием атмосфере цинизма, в которую погружены журналисты.

И только после того как мы все стали делиться своими открытиями со всем залом, я поняла, что это не просто была игра в знакомство, а еще и эффективный способ подразнить плохо замаскированных сотрудников полиции.

---

* В противоположность широко используемой в Северной Америке методике обучения маленьких детей Show and Tell — "Покажи и расскажи".

— Да, э-э, моего соседа зовут Дэйв, и он здесь для того чтобы бороться с угнетением, — сказал парень в нейлоновой куртке, и гул затих.

Менее чем через сутки Дэвид Солнит был в камере виндзорской тюрьмы, где просидел четыре дня.

На следующий день после того диспут-семинара и накануне большой демонстрации против ОАГ Солнит проводил в университете небольшой семинар по изготовлению марионеток. После семинара, всего в квартале от кампуса, его остановила полиция. Ему сказали, что он был раньше осужден за преступления в США и потому считается преступником в Канаде. Почему? Потому что пятнадцать лет тому назад его арестовали во время протеста против военного вмешательства США в Центральную Америку; он написал (смываемой краской) имена казненных сандинистов на стене правительственного здания. Вчера, после разъезда протестующих по домам, расследование, проведенное Immigration Review Board (Советом по надзору за иммиграцией), показало полную безосновательность его ареста и его отпустили.

Дэйвид Солнит проповедует революцию посредством папье-маше, и потому соблазнительно списать действия полиции на счет параноидального бреда. Но только власти-то правы, видя в нем угрозу, хотя это не угроза чьей-нибудь безопасности или собственности. Его послание последовательно ненасильственно, но оно также крайне могущественно.

Солнит не распространяется о том, как соглашение о свободной торговле превращает культуру, воду, семена и даже гены в предмет коммерции. На своих семинарах он учит молодых активистов удалять товарный аспект из взаимоотношений друг с другом — а это весьма оригинальное послание поколению, которое все детство было мишенью рекламы в школьных туалетах и которому продавали бунтарство в консервированном виде компании прохладительных напитков.

Хотя Солнита запирали на все время совещания ОАГ, его идеи витали по всему Виндзору: искусство было не чем-то таким, что создается умельцами и покупается потребителями, оно было повсюду, прямо на улицах. Активисты даже создали бесплатную транспортную систему: батальон "синих великов" — старых велосипедов, отремонтированных и покрашенных, предоставленных в полное распоряжение протестующих.

Теоретик коммуникаций Нил Постман когда-то написал, что учение — "подрывная деятельность". Когда учение соединяется у молодых людей с сознанием самодостаточности и творческой энергией, о существовании которых в себе они не подозревали, оно действительно становится подрывной деятельностью. Но не преступной.

Дэвид Солнит стал объектом тщательно спланированной международной полицейской операции. Его выявили как политическую угрозу еще до прибытия в эту страну. Его прошлое изучили, за ним следили и затем арестовали по сфабрикованному обвинению. Всем канадцам должно быть стыдно за действия нашей полиции. Но еще стыднее должно быть торговым чиновникам в Виндзоре. Похоже, свободная торговля упустила один аспект человеческой жизни: свободную торговлю придающими сил идеями.

Слежка

Проще шпионить за активистами, чем вызвать их на открытые дебаты

Август 2000

То обстоятельство, что Канадская разведывательная служба безопасности (Canadian Security Intelligence Service, CSIS) процитировала мою книгу в своем новом отчете об антиглобалистской угрозе, не вызвало во мне никакого восторга. В кругах, где я вращаюсь, писать для The Globe and Mail — уже достаточная политическая провинность, не говоря уже о том, чтобы быть де-факто информатором CSIS. Но ничего не поделаешь; на странице 3 отчета стоит: *No Logo* помогает CSIS понять, почему эти чокнутые детишки штурмуют торговые совещания.

Обычно я приветствую всех и всяческих читателей, но у меня есть смутное подозрение, что в будущем апреле этот отчет будет использован для оправдания бития по головам некоторых из моих добрых друзей. Это когда Квебек-Сити будет принимать у себя Американский саммит, самую значительную встречу по вопросам свободной торговли с тех пор, как прошлым декабрем в Сиэтле провалились переговоры Всемирной торговой организации.

Отчет CSIS был задуман как оценка угрозы, которую представляет для саммита антикорпоративный протест. Но вот что интересно: он делает больше, чем изображает активистов как латентных террористов (хотя и это тоже). Он также совершает чуть ли не героическое усилие понять, что стоит за этим возмущением.

В нем, например отмечается: протестующие возмущены тем, что "не было одобрено облегчение долгового бремени слаборазвитым странам". Они считают, что корпорации повинны в "социальной несправедливости, в недобросовестной практике трудовых отношений, а также в недостаточном внимании к окружающей среде", а учреждения, регулирующие торговлю, "интересуются только критерием прибыльности". Право, суть ухвачена совсем неплохо — наши диспут-семинары себя оправдывают. Отчет даже делает протестующим небывалый комплимент: согласно CSIS, они "обретают все больше знаний о своем предмете".

Разумеется, все эти наблюдения сделаны из принципа "знай врага своего", но CSIS хотя бы прислушивается. Чего нельзя сказать о канадском министре международной торговли. В своем обращении к Межамериканскому банку развития в текущем месяце Пьер Петтигрю делает странное построение в стиле Джорджа Лукаса, согласно которому деятели свободной торговли — это силы глобального порядка, а ее критики — силы "глобального беспорядка". Действия этих злонамеренных врагов мотивированы не "идеализмом" (как в отчете CSIS), а эгоистическим стремлением "не допустить других к процветанию, плодами которого пользуемся мы". Их дело не имеет под собой правомочной основы; если верить Петтигрю, они ни о чем и понятия не имеют. "Глобализация — это просто-напросто часть естественного эволюционного процесса, — сказал министр. — Она идет рука об руку с прогрессом человечества, а стоять на пути таких вещей, как учит нас история, не может никто".

Если канадское правительство беспокоится, что протестующие собираются сорвать его сборище в Квебек-Сити, ему следует сначала признать: мать-природа не пишет международных торговых соглашений, а пишут их политики и бюрократы. А еще лучше, вместо того чтобы "производить мониторинг коммуникации протестующих", к чему призывают отчеты CSIS, правительство либералов должно было бы вытащить дискуссию из шпионского царства разведывательных отчетов и посвятить следующие восемь месяцев открытым, доступным для всех, общенациональным дебатам с целью выяснить, поддерживает ли большинство населения распространение NAFTA на все полушарие.

Прецедент имеется. В 1988 году либералы как левоцентристская партия сыграли ведущую роль именно в таких дебатах — по поводу соглашения о свободной торговле с США. Но тогда "за" и "против" дерегулирования торговли были теоретическими — по сути, это была война соревнующихся гаданий.

Теперь же у канадцев есть возможность изучить послужной список. Мы можем спросить себя: позволяли ли правила NAFTA в последние восемь лет сохранять нашу культуру? Защитила ли трудовая составляющая соглашения права фабричных рабочих в Канаде и Мексике? Дала ли нам экологическая сторона соглашения свободу контролировать источники загрязнения? Упрочились ли права человека в Чьяпасе или в Лос-Анджелесе, или в Торонто со времени введения NAFTA?

Мы можем посмотреть на генерируемую торговлей долю нашего ВВП (43%), на уровень жизни среднего канадца (в застое). И потом спросить себя: самая ли это лучшая экономическая система, какую мы только можем вообразить? Удовлетворены ли мы все большим количеством того же самого? Действительно ли мы хотим NAFTA x 34? Такие дебаты и сами по себе были бы свидетельством здоровой демократии, но мы могли бы пойти и дальше. Вступление Канады в FTAA могло бы стать коренным вопросом следующих федеральных выборов, и — безумная идея! — мы могли бы по нему голосовать.

Ничего этого, конечно, не будет. Демократию в Канаде низведут до уровня пререканий о сокращении налогов. Критиков нынешнего экономического пути задвинут еще дальше в угол, и они станут более воинственными. А задачей полиции будет защита наших политиков от реальной политики, если даже это будет означать превращение Квебека в крепость.

Подготавливая почву для применения силы, отчет CSIS заключает, что, “принимая во внимание злобную риторику антиглобалистов, нельзя исключать угрозы связанного с саммитом насилия в Квебек-Сити”. Возможно, что и нельзя. Но, принимая во внимание злобную риторику антиактивизма и тайный сговор наших политиков, угрозу полицейского насилия в Квебек-Сити можно считать гарантированной.

Разжигатели страха

Полиция изображает протесты такими пугающими — кто же захочет на них ходить?

Март 2001

— Меня тревожит, что свободная торговля ведет к приватизации образования, — говорит учительница начальной школы в Оттаве. — Я хочу поехать на протест в Квебек, но не опасно ли это?

— По-моему, NAFTA увеличивает пропасть между богатыми и бедными, — говорит молодая мать из Торонто. — Но если я поеду в Квебек, не опрыскают ли моего сына перечным спреем?

— Я хочу поехать в Квебек, — говорит студент Гарварда, участник антипотогонного движения, — но я слышал, что никого не пропустят через границу.

— Мы даже и не думаем ехать в Квебек, — говорит студент из Мехико. — Арест в чужой стране нам не по карману.

Если вы думаете, что следующий большой разгром политического протеста произойдет в будущем месяце, когда шесть тысяч полицейских столкнутся с активистами у Американского саммита в Квебек-Сити, вы ошибаетесь. Разгром происходит уже сейчас. Он идет потихоньку, без фанфар, и случается всякий раз, когда очередной потенциальный участник демонстрации решает не выражать публично своих взглядов на обсуждаемую Зону свободной торговли американских государств.

Как выясняется, самая эффективная форма контроля над толпой — не перечный спрей, не брандспойты, не слезоточивый газ или какое-либо другое оружие, приводимое квебекской полицией в состояние боевой готовности в ожидании прибытия тридцати четырех глав государств. Самая передовая форма контроля над толпой — контроль до того, как она соберется; это новейшая технология сдерживания протеста, когда вы сами заставляете себя молчать.

Это случается всякий раз, когда мы читаем очередной рассказ о том, как Квебек будет обнесен трехметровым забором. Или как в городе негде будет ночевать, разве что в тюрьмах, которые как раз на этот случай освободили. За месяц до саммита открыточный Квебек-Сити превратили в зловещее место, негостеприимное для обычных людей, всерьез озабоченных корпоративно-движимой торговлей и экономическим дерегулированием. Выражение инакомыслия, вместо того чтобы быть здоровой составляющей демократии, становится экстремальным и опасным видом спорта, годящимся только для закоренелых активистов с невиданным снаряжением и докторскими степенями по лазанию на здания.

Сдерживание протеста происходит тогда, когда мы верим газетным историям из анонимных источников и с неизвестно кому принадлежащими высказываниями о том, как некоторые из этих активистов на самом деле “подстрекатели”, которые “замышляют насилие”, заготавливая булыжники и взрывчатку. Единственное доказательство таким поджигательским нападкам — то, что “анархисты” организуются в “мелкие группы”, и эти группы “автономны”, то есть они не указывают друг другу что делать.

А вот правда: ни одна из официальных группировок, организующих акции протеста в Квебек-Сити, не планирует насильственных действий.

Несколько более радикальных организаций, включая "Антикапиталистическую конвергенцию", высказались о своем уважительном отношении к "многообразию тактик, варьирующихся от просвещения масс до активных действий". Они говорят, что не будут принципиально осуждать других активистов за их тактику. Некоторые говорят, что будут защищаться, если на них нападет полиция.

Эту действительно сложную позицию газеты искажают и представляют как равноценную планированию силовых атак на саммит, чем она совершенно точно не является. Она, кроме того, является источником беспокойства для многих других активистов, которые пытаются доказать — было бы легче, если бы все подписали заявление: протест будет ненасильственным.

Проблема в том, что один из фундаментальных доводов против дарвинистской экономической модели FTAA — это утверждение, что она увеличивает насилие: насилие внутри бедных сообществ и насилие полиции против бедных. В произнесенной в прошлом году речи министр международной торговли Пьер Петтигрю помог объяснить почему. В современных экономических системах, сказал он, "жертвы не только эксплуатируют, их исключают. ...Вы можете находиться в ситуации, когда для создания всех этих благ вы не требуетесь. Это явление исключения гораздо более радикально, чем явление эксплуатации".

Воистину так. Почему и небезопасно то общество, которое радостно принимает для себя эту графу "включен/исключен", ибо оно полно людей, которые не очень верят в систему, которые ощущают, что им нечего ждать от программ, обещающих процветание, исходящих от таких сборищ, как Американский саммит; которые рассматривают полицию исключительно как силу подавления и которым нечего терять.

Если это не то общество, какого мы хотим, — если это общество включенных и исключенных, со все более высокими заборами, разделяющими тех и других, — то резон не в том, чтобы "хорошие" активисты заранее осуждали "плохих". Резон в том, чтобы отвергнуть политику разделения как таковую, всю. И сделать это лучше всего в Квебек-Сити, где невидимую стену исключенности сделали вопиюще видимой, из металлической сетки, и усилили такими методами контроля над толпой, которые призваны не допустить нас туда еще до того, как мы туда приедем.

Петиция о "гражданах, сажаемых в клетку"

Открытое письмо Жану Кретьену перед Американским саммитом

Апрель 2001

Наоми Кляйн, актриса Сара Полли и юрист Клейтон Руби выступили инициаторами этой петиции премьер-министру Канады Жану Кретьену в предвидении полицейского насилия во время Американского саммита в Квебек-Сити. Письмо было призвано возбудить общественное мнение, особенно в артистическом сообществе. Его подписали более шести тысяч человек — художники, артисты, ученые, журналисты, судьи, юристы и другие представители интеллигенции. Среди них было несколько самых заметных фигур канадской культуры, в том числе Маргарет Этвуд, Майкл Ондаатье, Атом Эгоян, Майкл Игнатьефф, Рубин Картер (Ураган) и Barenaked Ladies.

Мы, канадцы, ценящие свободу самовыражения как одно из неотъемлемых демократических прав, чьи способы зарабатывать себе на жизнь зависят от этого права, будем бдительно следить за действиями сотрудников полиции и иммиграционных агентов, когда на следующей неделе в Квебек-Сити откроется Американский саммит.

Право на свободу самовыражения, столь фундаментальное для нашей демократии, включает в себя не только право говорить и передавать свои мысли, но и быть услышанным. Конституционное право мирных собраний включает в себя право собираться в общественных местах во всех канадских городах. Право на свободу передвижений через границы распространяется не только на торговлю и туризм, но и на политические демонстрации, конференции и акции протеста.

Призванный удерживать участников законных протестов вне поля зрения и слуха охранный барьер, воздвигнутый вокруг города Квебека, попирает эти фундаментальные свободы. Следуя духу нашей конституции, мы осуждаем это деяние. Мы считаем, что планируемое присутствие приблизительно шести тысяч сотрудников полиции в районе проведения саммита не служит стимулом мирного протеста. Мы также осуждаем практику произвольного отказа во въезде заинтересованным гражданам других стран, не дающую им возможности высказать мировой прессе свои взгляды на соглашение о свободной торговле, пересекающей границы тридцати четырех стран.

Демократия имеет место не только в парламентах, избирательных кабинах и официальных саммитах. Она также порой включает в себя мирные акты гражданского неповиновения. Когда улицы блокируются, когда сотни залов заседаний в городе Квебеке оказываются вне доступа граждан, потому что находятся внутри расползающейся “зоны безопасности”, тогда маргинализуется сама демократия. И когда крупным корпорациям дается благоприятная возможность купить доступ к политическим лидерам благодаря частичному спонсированию Американского саммита, как это происходит здесь, создается впечатление, что политическая подотчетность продается и покупается.

Мы также встревожены просочившимися в прессу документами Канадской разведывательной службы безопасности, которые изображают прибывающих в Квебек участников протеста как людей, "склонных к насилию", но в подтверждение таких заявлений не приводят никаких доказательств, и тем, что такие необоснованные характеристики, повторяемые прессой, могут дать зеленый свет неумеренному использованию силы сотрудниками полиции. Многие из активистов, направляющихся в Квебек, — это молодые люди, выражающие свои политические взгляды и участвующие в идейных и мирных актах гражданского неповиновения, и мы глубоко озабочены физической безопасностью всех участников протестов.

Последние четыре года мы наблюдаем, как использование перечного спрея становится печально привычным делом на политических демонстрациях, приуроченных к совещаниям Всемирного банка, Международного валютного фонда, Всемирной торговой организации, Всемирного экономического форума, Азиатско-тихоокеанского форума по экономическому сотрудничеству, а также к съездам обеих политических партий США. Мы также являемся свидетелями все более широкого, от улиц Вашингтона до Давоса в Швейцарии, использования полицией слезоточивого газа, массовых арестов, брандспойтов и резиновых пуль во время некоторых из этих демонстраций, равно как и таких все более распространяемых мер безопасности, как упреждающие аресты организаторов протестов, избиения наугад выбранных активистов, рейды на активистские "центры конвергенции", захват безобидных материалов протеста вроде плакатов и марионеток.

На протяжении всей истории нашей страны мы встречаем таких канадцев, как Жорж-Этьен Картье и Роберт Болдуин, которые боролись и за гражданскую терпимость, и за демократическое право на свободу самовыражения. Американскому саммиту еще не поздно стать событием, во время которого наши политические лидеры будут делать больше, чем просто разговаривать о демократии. Они могут также проводить в жизнь демократические принципы свободы самовыражения и передвижений, отказавшись отгородиться от публичной критики и полемики по вопросам, жизненно важным для граждан Американского континента. Весь мир зорко наблюдает — и это шанс сделать Канаду образцом демократических принципов.

В духе вышесказанного мы призываем силы безопасности на наших границах и в городе Квебеке энергично защищать не только безопасность приезжающих глав государств, но и права политических активистов внутри Канады.

Инфильтрация

Полицейские в штатском умыкают мирного организатора протеста против Зоны свободной торговли американских государств

Апрель 2001

— Ты где? — заорала я по своему мобильнику на его мобильник.

Пауза, и затем:

— В Зеленой зоне — угол Сен-Жан и Сен-Клэр.

"Зеленая зона" на языке протестующих — зона, свободная от слезоточивого газа и столкновения с полицией. Там нет оград, которые надо штурмовать, — и там только санкционированные шествия. Зеленые зоны безопасны. Считается, что там можно гулять с детьми.

— Хорошо, — сказала я. — Через пятнадцать минут я там.

Я не успела надеть пальто, как раздался звонок:

— Джагги арестован. Ну то есть не то, что арестован. Скорее похищен.

Моя первая мысль — это я виновата. Я спросила Джагги Сингха о его местонахождении по мобильному телефону, наш разговор наверняка прослушивался — так они его и нашли. Звучит как идея-фикс? Пожалуйте в Саммит-Сити!

Менее чем через час в культурном центре церковного прихода Иоанна Крестителя шестеро свидетелей с опухшими глазами зачитывают мне свои рукописные показания случившегося — как самый заметный организатор вчерашних активных действий протеста против Зоны свободной торговли американских государств был выхвачен прямо у них из-под носа. Все дружно рассказывают, что Сингх тусовался с друзьями и все уговаривал их отойти подальше от охранного заграждения, за которое они зашли. Они все говорят, что он старался предотвратить противостояние с полицией.

— Он говорил, что положение становится слишком напряженным, — сообщил Майк Стоденмайер, активист из США, который как раз разговаривал с Сингхом, когда на того навалились сзади, бросили на землю и обступили три здоровенных мужика.

— Они были одеты как активисты, — рассказала Хелен Нейзон, 23-летняя жительница Квебек-Сити, –трикотажные куртки с капюшонами, повязки на лбу, фланелевые рубашки, слегка расхристанные. Они повалили Джагги на землю и стали пинать. Все это так дико.

— И потом они его утащили, — сказала Мишель Люллен. Все свидетели рассказали мне, что когда друзья Сингха пошли к нему на выручку, то одетые, как активисты, мужчины достали полицейские дубинки, отогнали их и объявились: “Полиция”. Сингха забросили в бежевый микроавтобус и увезли. У нескольких активистов на месте ударов открытые раны.

Через три часа после ареста Сингха — ни слова о его местонахождении.

Умыкание активистов на улице в машинах без номеров — таким вещам случаться в Канаде не полагается. Но за короткую карьеру антиглобалиста с Джагги Сингхом это уже случалось — во время протестов 1997 года против Азиатско-тихоокеанского саммита по экономическому сотрудничеству. Накануне акций протеста он шел один по кампусу университета Британской Колумбии, когда его схватили двое полицейских в штатском, повалили на землю и потом запихали в автомобиль без номеров.

Как он потом выяснил, его обвинили в оскорблении действием. Оказывается, несколько недель тому назад он так громко говорил в мегафон, что повредил барабанные перепонки стоявшего неподалеку полицейского. Обвинение, естественно, было снято, но цель была очевидна — продержать его за решеткой во время протеста, как, несомненно, его продержат взаперти и во время сегодняшнего шествия. С похожим арестом он столкнулся и в октябре во время саммита министров финансов Группы двадцати в Монреале. Ни в одном из этих неслыханных дел Сингха не разу не осудили ни за вандализм, ни за планирование или замыслы насильственных действий. Всякий, кто его видел, знает, что его самое страшное преступление — произнесение хороших речей.

Поэтому-то я и говорила с ним по телефону о встрече за несколько минут до его ареста — хотела уговорить его прийти на диспут-семинар Народного саммита, который я вела совместно с кем-то еще, чтобы рассказать полуторатысячной толпе о том, что происходит на улицах. Он было согласился, но потом решил, что пройти через весь город будет слишком трудно.

Не могу удержаться от мысли: то, что с этим молодым человеком обращаются как с террористом, многократно и без доказательств, как-то связано с его коричневой кожей и тем обстоятельством, что его фамилия Сингх. Неудивительно, что, по словам его друзей, эта якобы угроза государству не любит по ночам ходить в одиночестве.

Совокупив все свидетельские показания, небольшая группа начинает расходиться из культурного центра, спеша на ночную планерку. В дверях происходит заминка, и вот коридоры полны людей с красными лицами и слезящимися глазами — они суматошно ищут краны с водой.

Слезоточивый газ заполнил улицу у культурного центра и проник в коридоры. “Это больше не зеленая зона! *Les flics s'en viennent*!*”.

А я хотела занести все это в свой ноутбук в гостинице! Денис Беланжер, любезно позволивший мне воспользоваться разболтанным компьютером культурного центра, чтобы написать эту корреспонденцию, замечает, что на мобильном телефоне мигает индикатор сообщения. Оказывается, полиция закрыла весь район — никто не может выйти.

— Придется ночевать здесь, — говорит Беланжер. Придется и мне.

---

* Фараоны идут! (фр.)

Слезоточивый газ для всех

Ядовитые пары сводят вместе разрозненные группировки во время протестов против FTAA

Апрель 2001

Протесты закончены, начинаются поиски козлов отпущения. Мод Барлоу, возглавляющую Совет канадцев (Counsil of Canadians), осуждают за то, что не отозвала своих людей. Активист Джагги Сингх сидит в кутузке за якобы обладание оружием — не тем, которым он никогда не обладал и не пользовался, а театральной метательной машиной, с помощью которой на прошлой неделе, во время Американского саммита, перебрасывали через ограды в Квебек-Сити плюшевых зверушек.

Дело не в том, что полиция не поняла юмора, — она не поняла новой эры политического протеста, такого, который приспособлен к нашему постмодернистскому времени. Ибо не было такой личности, такой группы, которая могла бы отозвать "своих людей", потому что десятки тысяч пришедших протестовать против Зоны свободной торговли американских государств — это части движения, у которого нет лидера, центра и даже общепризнанного названия. И все же оно существует, бесспорно, несмотря ни на что.

В репортажах очень трудно передать то обстоятельство, что в Квебек-Сити не было двух протестов — "мирного" шествия трудящихся и "буйных" анархистских беспорядков, — а были сотни акций протеста. Одну организовали мать с дочерью из Монреаля. Другую — уместившиеся в один микроавтобус аспиранты из Эдмонтона. Еще одну — трое друзей из Торонто, которые не состоят ни в какой организации, кроме фитнес-центра. Еще одну — пара официанток из соседского кафе, во время перерыва на обед.

Конечно, были в Квебеке и хорошо организованные группы: у профсоюзов были автобусы, тщательно подобранные плакаты, разработанные маршруты шествий; у “Черного блока” анархистов были противогазы и рации. Но на протяжении нескольких дней улицы были также наполнены такими, кто просто сказал приятелю “Махнем в Квебек”, и жителями города, которые сказали “Выйдем-ка на улицу”. Они не присоединялись к одной большой акции, они вливались в момент.

Да и как иначе? Традиционные учреждения, когда-то организовывавшие людей в аккуратные, структурированные группы, находятся в упадке: профсоюзы, религии, политические партии. А ведь что-то дернуло десятки тысяч индивидуумов выйти на улицы — что? Интуиция, “нутром чую”, — или глубоко человеческое желание быть частью чего-то большего, чем ты сам?

Была ли у них сформулированная партийная линия, детальный анатомический разбор внутренностей и наружностей FTAA? Не всегда. И все равно, от протестов в Квебеке нельзя отмахнуться как от бессодержательного политического туризма. Послание Джорджа Буша на саммите звучало в том смысле, что сами акты купли и продажи осуществляют для нас политическое руководство. “Торговля помогает распространению свободы”, — сказал он.

Но именно этот обедненный и пассивный взгляд на демократию и отвергали на улицах. К чему бы еще ни стремились протестующие, все, несомненно, хотели вкусить прямого участия в политике. Результат слияния этих сотен миниатюрных акций протеста был хаотичен, порой ужасен, но часто вдохновлял. Одно можно сказать наверное: сбросив, наконец, мантию политического зрительства, эти люди уже не отдадут бразды мафии мнимых вождей.

И, однако же, протестующие станут-таки более организованными, и это имеет больше отношения к действиям полиции, чем к наставлениям Мод Барлоу, Джагги Сингха или, если уж на то пошло, моим. Если люди приехали или приковыляли в Квебек-Сити в глубоком недоумении по части того, что значит быть частью политического движения, то сразу по прибытии нас многое объединило: массовые аресты, резиновые пули, густая белая пелена газа.

Вопреки правительственной линии на похвалы "хорошим" участникам протестов и осуждение "плохих", на улицах Квебек-Сити со всеми обращались жестоко, трусливо и без разбору. Силы охраны использовали поведение нескольких швырявших камни как наглядное для объективов оправдание того, что они пытались делать с самого начала — очистить город от тысяч участников законных протестов, потому что так удобнее.

Единожды придравшись к такой "провокации", они наполняли целые кварталы слезоточивым газом — веществом, которое, по определению, не разбирается, кто есть кто, индифферентно к границам действий, методам протеста, различиям в политике. Ядовитые пары проникали в дома, заставляя людей дышать через маски в своих квартирах. Раздражаясь на уносящий газ ветер, распыляли еще. Газ пускали на людей, обращавшихся к полицейским с жестом мира*. Газ пускали на людей, раздававших пищу. Я встретила пятидесятилетнюю женщину из Оттавы, которая бодро сказала мне: "Я вышла на улицу купить сандвич, и на меня пустили газ — дважды". На людей, праздновавших что-то под мостом, пустили газ. На людей, протестовавших против ареста их друзей, пустили газ. На передвижную клинику неотложной помощи, помогавшую людям, на которых пустили газ, пустили газ.

От слезоточивого газа ожидалось, что он сломит протестующих, но вышло наоборот: он их обозлил и радикализовал, а членов анархистского контингента из "Черного блока" возбудил настолько, что они осмелились швыряться в полицейских канистрами от противогазов.

Пусть газ легок и разрежен настолько, чтобы витать в воздухе, но я подозреваю, что предстоящие месяцы покажут, что он обладает сильными связующими свойствами.

[*Квебекская Ligue des Droits (Лига прав человека) выпустила отчет о бесчинствах полиции во время саммита. В нем документально описано несколько инцидентов, о которых раньше не сообщалось. С помощью лазерного прицела полиция выстрелила резиновой пулей по гениталиям участника протеста. К мужчине, уже лежавшему на земле, полиция применила шоковое оружие, а женщину на ходулях, одетую статуей Свободы, сбили струей*

---

* Поднятая рука ладонью вперед, средний и указательный пальцы расставлены в виде буквы V, остальные собраны вместе. Многими воспринимается не как жест мира, а как жест победы.

из брандспойта по коленям, когда она приближалась к ограде. В том же отчете содержатся отвратительные подробности обращения с арестованными. Некоторых часами держали в наручниках в полицейских автобусах в сильно загазованных местах, прежде чем доставить в тюрьму. По прибытии туда многих раздевали догола, обыскивали и обливали холодной водой из шлангов (“обеззараживание” после газа). И, несмотря на то что власти очистили местную тюрьму еще до начала протестов (что обошлось в 5 миллионов долларов), многих арестованных держали по пять и по шесть человек в одиночных камерах.]

Привычка к насилию

Как годы полицейского насилия достигли кульминации в смерти итальянского участника протеста Карло Джулиани

Август 2001

20 июля 2001 года во время совещания Большой восьмерки (G8) в Генуе итальянская полиция убила выстрелом в голову с близкого расстояния 23-летнего участника протеста Карло Джулиани и переехала его тело шедшим задним ходом джипом. (Это выдержка из речи, произнесенной в Италии, область Эмилия-Романья, месяц спустя, на Фестивале газеты "Унита").

Я освещаю эту волну протеста вот уже пять лет. И я с ужасом наблюдаю, как полиция переходит от перечного спрея к массовому применению слезоточивых газов, от газов к резиновым пулям, от резиновых пуль к боевым. Одним только этим летом мы наблюдали эскалацию насилия — от тяжелых телесных повреждений участников протеста в Гетеборге, Швеция, до убийства и переезда джипом участника протеста в Генуе. А совсем рядом спавших в школе активистов разбудили и избили до крови, устлав пол выбитыми зубами.

Как это все могло произойти так быстро? Я должна с великим сожалением заключить, что это случилось потому, что мы позволили этому случиться, и под этим "мы" я подразумеваю всех добрых левых либералов в СМИ, в науке и в искусстве, говорящих себе, что ценят гражданские свободы. У себя в Канаде, когда мы несколько лет назад впервые столкнулись с использованием полицией перечного спрея и обысками с раздеванием молодых активистов, общество откликнулось гневным протестом. Это была сенсация. Мы задавали вопросы и требовали ответов, требовали подотчетности полиции. Это наши дети, говорили люди, они идеалисты, будущие лидеры. Ныне же подобные выражения перед лицом полицейского насилия против участников протестов услышишь редко. Отсутствие журналистских расследований, отсутствие гневного протеста со стороны левых партий, профессуры, неправительственных организаций, для того и существующих, чтобы защищать свободу самовыражения, — просто возмутительно.

Действия молодых активистов подвергаются придирчивому публичному анализу — под подозрением их мотивация, их тактика. Если бы за полицией следили с десятой долей такой зоркости, с какой следят за этим движением, зверства, которое мы видели в прошлом месяце в Генуе, могло бы и не быть. Я говорю это потому, что последний раз была в Италии в июне, более чем за месяц до протестов. Уже и тогда было ясно, что полиция выходит из-под контроля, готовит оправдания для серьезного наступления на гражданские свободы и расчищает дорогу к крайним проявлениям насилия. Еще на улицы не вышел ни один активист, а уже было практически объявлено упреждающее чрезвычайное положение: аэропорты закрылись, значительная часть города покрылась кордонами. И однако же, когда я последний раз была в Италии, все публичные дискуссии направлялись не на эти нарушения гражданских свобод, а на некую угрозу, исходящую от активистов.

Полицейская жестокость питается общественным безразличием, просачиваясь в социальные расщелины, на которые мы давно не обращаем внимания. Newsweek назвал смерть Карло Джулиани "первой кровью" движения. Это удобно, но как насчет крови, так часто проливаемой тогда, когда протесты против корпоративной власти проходят в слаборазвитых странах или в бедных регионах развитых стран, когда те, кто сопротивляются, не белые?

За две недели до сбора G8 в Генуе три студента были убиты в Папуа-Новой Гвинее во время протеста против приватизационной схемы Всемирного банка. Это едва попало в газеты, а между тем вопрос стоял совершенно тот же, что вывел на улицы тысячи людей в так называемом антиглобалистском протесте.

Это не случайное совпадение, что полицейская жестокость всегда цветет в маргинальных — маргинализированных — сообществах, направляются ли ее дула на запатистские сообщества в Чьяпасе или на коренное сообщество мирной Канады, когда активисты Первого народа* решают воспользоваться тактикой активных действий для защиты своей земли.

Полиция перехватывает, как в театре, наши реплики: выходим мы, входят они. Истинные боеприпасы — это не резиновые пули и не слезоточивый газ. Это наше молчание.

---

* Политически корректное название индейцев.

Фабрикация угроз

Итальянское правительство подавляет гражданские свободы после Генуи

5 сентября, 2001

В ритуал путешествия по Италии в августе входит сначала подивиться тому, как тамошние жители научились красиво жить, а потом горько посетовать на то, что все закрыто.

— Очень цивильно, — слышится замечание североамериканца об обеде из четырех блюд. — А теперь кто-нибудь, откройте этот магазин и продайте мне...

В этом году август в Италии был не совсем таким. Многие из южных приморских городков, где итальянцы обычно прячутся от туристов, почти пустовали, а жизнь в больших городах, против обыкновения, так ни разу и не замерла. Когда я приехала две недели назад, журналисты, политики и активисты хором сообщали, что это первое лето в их жизни, когда они не взяли ни одного выходного.

Да и как можно? Сначала была Генуя, потом После Генуи.

Последствием протестов против Большой восьмерки в июле стало перепланирование политического ландшафта страны — и каждому хочется использовать шанс в формировании результата. Газеты выходят рекордными тиражами. На собраниях, имеющих хоть какое-то отношение к политике, — полный аншлаг. В Неаполе я ходила на планерку активистов по поводу предстоящего саммита НАТО; в раскаленный класс набилось более семисот человек поспорить о "стратегии движения после Генуи". Через два дня конференция о "политике после Генуи" близ Болоньи собрала две тысячи; не расходились до 11 часов вечера.

Ставки в этот период высоки. Представляли ли 200 000 (кто-то говорит, 300 000) человек на улицах неодолимую силу, которая в итоге сместит премьер-министра Сильвио Берлускони? Или Генуя станет началом долгого периода молчания, когда граждане сочтут адекватными массовые собрания и ужасающее насилие?

В первые недели после саммита внимание было жестко сосредоточено на зверствах полиции: на убийстве юного Карло Джулиани, на сообщениях о пытках в тюрьмах, о кровавом полуночном рейде на школу, где спали активисты.

Но Берлускони, по образованию специалист по рекламе, не собирается так легко уступить кому-то значение Генуи. В последние несколько недель он яростно перековывает себя в "доброго папашу", готового спасти свою семью от неминуемой опасности. В отсутствие настоящей угрозы он ее сфабриковал — в связи с какой-то неведомой конференцией ООН по проблеме голода, намеченной на 5–9 ноября 2001 года в Риме. Под звуки фанфар со стороны СМИ Берлускони объявил, что совещание Организации по продовольствию и сельскому хозяйству (Food and Agriculture Organization, FAO) не будет проводиться в "священном Риме", потому что, сказал он, "я не хочу видеть, как громят и сжигают наши города". Вместо этого совещание пройдет в некоем укромном месте (как в Канаде — очередную встречу G8 планируется провести в труднодоступном Кананаскисе в провинции Альберта).

Это бой с тенью в его самом типичном проявлении. Никто не собирался срывать совещание FAO. Мероприятие должно было вызвать несколько мелких акций протеста, главным образом со стороны критиков генетически модифицированных культур. Некоторые надеялись, что это совещание откроет возможность обсудить коренные причины голода, как конференции ООН по расизму в южноафриканском Дурбане разожгла дебаты о репарациях за рабовладение.

Жаку Диуфу, директору FAO, неожиданное внимание, кажется, по душе. Ведь несмотря на сокрушительный гнет мандата сократить голод в мире наполовину, FAO почти не привлекает к себе интереса извне — ни со стороны политиков, ни со стороны протестующих. Самая большая проблема организации в том, что она настолько не вызывает споров, что практически невидима.

“Я хотел бы сказать, что очень благодарен за все эти дебаты о перемене места совещания, — сказал Диуф журналистам на прошлой неделе. — Теперь люди во всех странах знают, что будет проведен саммит по проблемам голода”. *[Кончилось тем, что совещание было отложено на июнь 2002 года. Оно прошло в Риме без инцидентов].*

Но пусть угроза беспорядков против FAO и высосана из пальца Берлускони, его действия составляют часть серьезной атаки на гражданские свободы в пост-генуэзской Италии. В воскресенье итальянский министр по связям с парламентом Карло Джованарди сказал, что во время ноябрьского совещания FAO “демонстрации в столице будут запрещены. Это наш долг, — сказал он, — запрещать демонстрации в определенных местах в определенное время". Подобный запрет на публичные собрания может быть издан в Неаполе на время предстоящего совещания министров стран НАТО, которое тоже перевели на загородную военную базу.

Шли даже разговоры об отмене концерта Ману Чао в прошлую пятницу в Неаполе. Музыкант поддерживает запатистов, поет о "нелегальных" иммигрантах и играл перед толпой на улицах Генуи. Очевидно, полиции этого достаточно, чтобы унюхать зреющие беспорядки. Для страны, которая помнит логику тоталитаризма, все это звучит до дрожи знакомо: сначала создать климат страха и напряженности, затем приостановить конституционные права в интересах охраны "общественного порядка".

Пока что итальянцы, похоже, не желают играть на руку Берлускони. Концерт Ману Чао прошел как планировался. Никаких беспорядков, конечно, не было. Просто семьдесят тысяч человек плясали, как сумасшедшие, под проливным дождем — запоздалое облегчение после долгого и трудного лета.

Толпы полицейских, окружавших концерт, наблюдали молча. Они выглядели усталыми — им бы выходной не помешал.

Застряли в стадии зрелища

Не превращается ли это в "Мак-Движение"?

Май 2001

Идея превратить Лондон на Первое мая в гигантскую доску для игры в "Монополию" звучала великолепно.

При всех привычных камешках, которые швыряют в огород современных протестующих, — что у них отсутствует фокус и ясная цель типа "Спасти деревья" или "Простить долги", — нынешняя волна антикорпоративного активизма являет собой реакцию на собственную монотонность. Наскучившись выявлением симптомов неолиберальной экономической модели — недофинансирование больниц, бездомность, растущее неравенство, бум тюрем, изменения климата, — участники кампаний теперь совершают очевидную попытку "устранить" стоящую за симптомами систему. Но как протестовать против абстрактных экономических идей и при этом не выглядеть пустозвонами или верхоглядами?

А что если использовать настольную игру, которая уже поколениями учит ребятишек искусству владеть землей? Организаторы вчерашней первомайской акции "монопольного" протеста выпустили аннотированные карты Лондона с выделением таких общеизвестных мест, как Регент-Стрит, Пэл-Мэл и Трафальгарская площадь, призывая участников располагать свои первомайские акции на доске "Монополии". Хотите протестовать против приватизации? Ступайте на вокзал. Индустриализация сельского хозяйства? К "Макдональдсу" на Кингс-Кроссе. Ископаемое топливо? К электрической компании. И всегда носите с собой игровую карточку "Освободиться из тюрьмы".

Беда в том, что к полудню вчерашнего дня Лондон не выглядел как благонравная смесь народного просвещения с уличным театром. А выглядел он так, как выглядит в наши дни место любого другого массового протеста: блокированные силами порядка демонстранты, разбитые окна, заколоченные щитами витрины, отступательные бои с полицией. И в предпротестных войнах в прессе — тоже дежавю. Планируют ли демонстранты беспорядки? Не спровоцирует ли беспорядки само присутствие шести тысяч полицейских? Почему не все протестующие осуждают насилие? Почему все всегда говорят о насилии и беспорядках?

Так, похоже, выглядят сегодняшние акции протеста. Хочется назвать это "Мак-Протестом", потому что всегда одно и то же. И я, конечно, обо всем этом уже писала. Собственно, почти все, что я писала в последнее время, было о свободе собраний, об охранных заграждениях, слезоточивом газе и наглых арестах. Ну или о попытках намеренно ложного толкования протестов — что они, например "против торговли" или тоскуют о доземледельческой утопии.

В большинстве активистских кругов признано — как символ веры, — что массовые демонстрации всегда положительны: они создают боевой дух, демонстрируют силу, привлекают внимание прессы. Но вот что упускают из виду — что сами демонстрации не есть движение. Они лишь мгновенные вспышки, проявления повседневных движений, которые коренятся в школе, на работе, в квартале. По крайней мере должны корениться.

Я все думаю об историческом дне 11 марта нынешнего года, когда в Мехико вошли запатистские командиры – армия, которая привела к успешному восстанию против государства, а при этом жители Мехико не задрожали от страха – 200 000 из них вышли встречать запатистов. Движение на улицах было перекрыто, но никто не волновался об удобстве едущих на работу. И магазины не заколачивали витрин щитами: они устраивали "революционные" распродажи на тротуарах.

Что же – запатисты менее опасны, чем несколько городских анархистов в белых комбинезонах? Вряд ли. Просто марш на Мехико готовился семь лет (кто-то скажет, пятьсот лет, но это другая история). Это были годы выстраивания коалиций с местными организациями, с рабочими на фабриках *maquiladora*, со студентами, с интеллигенцией, с журналистами; годы массовых консультаций, открытых *encuentros* (митингов) по шесть тысяч участников. Случившееся в Мехико не было движением, это было лишь очень публичной демонстрацией всей этой невидимой повседневной работы.

Самые мощные движения сопротивления всегда укоренены на местах и подотчетны местным сообществам. Но один из вызовов, бросаемых нам жизнью в высоко потребительской культуре, против которой и протестовали вчера в Лондоне, – это отсутствие корней. Мало кто из нас знает своих соседей, разговаривает о большем, чем о тряпках, уделяет время общественным делам. Как может движение быть подотчетным, если истончаются местные сообщества?

В контексте городской неукорененности моменты для демонстраций, конечно, существуют, но, может быть, важнее моменты для выстраивания связей, которые делали бы демонстрации чем-то большим, чем театр. Бывают времена, когда радикализм — это встать против полиции, но гораздо чаще, когда радикализм — это поговорить с соседом.

Вопросы, стоящие за вчерашними первомайскими демонстрациями, уже не маргинальны. Продовольственные тревоги, генная инженерия, изменения климата, неравенство доходов, провалившиеся схемы приватизации — это все материал первых полос газет. И, однако же, что-то серьезно не так, когда акции протеста выглядят оторванными от корней, отрезанными от повседневных забот. Это значит, что показушная сторона движения принимается за менее захватывающее дело его выстраивания.

IV
КАК НАЖИВАЮТ КАПИТАЛ НА СТРАХЕ

[Глава, в которой 11 сентября используют, чтобы затыкать рот критикам, проталкивать новые торговые договоры и осуществлять "ребрендинг" США — а покупать лифчики объявляют патриотическим долгом]

IV

КАК НАЖИВАЮТ КАПИТАЛ НА СТРАХЕ

[Глава, в которой 11 сентября используют, чтобы затыкать рот критикам, проталкивать новые торговые договоры и осуществлять "ребрендинг" США — а покупать лифчики объявляют патриотическим долгом]

Брутальная арифметика страданий

Когда одни жизни ценятся выше, другие — ниже

Октябрь 2001

Эта речь была произнесена на конференции Mediemötet 2001 в Стокгольме. "Встреча СМИ" была трехдневным собранием журналистов в ознаменование столетия Шведской федерации журналистики.

Для меня большая честь обращаться к столь многим ведущим журналистам Швеции в этот важный момент для нашей профессии. Когда меня приглашали шесть месяцев назад, меня просили поговорить о глобализации и корпоративной концентрации в СМИ, а также о вопросах, находящихся в сердцевине глобального движения протеста: о растущем неравенстве и о международных двойных стандартах. И я затрону эти вопросы, но хочу также поговорить об их связи с событиями, которые у всех нас на уме, — со случившимся в прошлом месяце нападении на США и с продолжающейся кампанией бомбардировок Афганистана.

Имея это в виду, позвольте мне начать с одной истории. Когда мне было двадцать три года, я получила свою первую работу — редактора в газете. Номер закрывался в 11 часов вечера, но два человека оставались до двух ночи на случай, если появится новость настолько значительная, чтобы заново открыть первую полосу. Когда мне впервые выпал черед дежурить, от смерча в одном из южных штатов США погибли трое человек, и дежурный старший редактор решил открыть первую полосу. На втором моем дежурстве я прочла на ленте, что в Афганистане только что были убиты 114 человек, и я, повинуясь долгу, позвонила старшему редактору. Напоминаю, я была молода, и мне казалось, что если три человека оправдывали открытие первой полосы, то 114 уж точно будут считаться важнейшим событием. Никогда не забуду, что сказал мне редактор. "Не беспокойтесь, — сказал он. — Эти люди убивают друг друга постоянно".

После 11 сентября я все время думаю об этом случае, о том, как мы, работники СМИ, участвуем в процессе, который снова и снова утверждает идею, что смерть и убийство трагичны, экстраординарны и недопустимы в одних местах и банальны, ординарны, неизбежны и даже ожидаемы в других.

Скажу честно, во мне еще сохранилось что-то от той наивной двадцатитрехлетней. И я по-прежнему считаю, что идея, будто чья-то кровь ценится дорого, а какая-то дешево, не только нравственно порочна, но и отчасти повинна в этом кровавом моменте нашей истории.

Эта холодная, брутальная, почти бессознательная арифметика проникает в нашу общую глобальную психику и извращает, калечит нас. Она порождает безразличие к жизни в людях, знающих, что они невидимы, что они не считаются. А мы, СМИ, кто мы — нейтральные наблюдатели этой смертельной математики?

Нет. Увы, это мы сами производим многие из этих подсчетов. Это нам дана власть выбирать, чьи жизни представлять в цветном, а чьи в черно-белом изображении. Это мы решаем, когда кричать "трагедия", а когда пожимать плечами — "обыкновенно"; когда прославлять героев и когда предоставлять слово хладнокровной статистике; кому быть безымянными жертвами — например африканцам, погибшим при взрыве бомбы в американском посольстве в 1998 году — и кому иметь свою историю, семью, жизнь — как пожарным в Нью-Йорке.

11 сентября, снова и снова смотря по телевизору повторные показы взрывающихся зданий в Нью-Йорке и Вашингтоне, я не могла отделаться от мысли о всех тех случаях, когда СМИ ограждали нас от подобных ужасов в других местах. Например, во время войны в Персидском заливе мы не видели реальных взрывающихся зданий и бегущих людей, а только стерильное Пространство Вторжения, поле зрения наводящего устройства снаряда и его цели — тут же уничтожаемые. Кто был на этих абстрактных полигонах? Этого мы так и не узнали.

Американцы и теперь не получают регулярного освещения по CNN продолжающихся бомбежек в Ираке, их не потчуют важными для широкой публики репортажами о губительных для детей в этой стране последствиях экономических санкций. После того как в Судане в 1998 году разбомбили фармацевтическую фабрику (по ошибке принятую за центр химического оружия), появилось немного сообщений о том, чем обернулась для профилактики заболеваний в регионе утрата производителя вакцины.

И когда НАТО бомбило гражданские объекты в Косове — в том числе рынки, больницы, караваны беженцев, пассажирские поезда, — NBC не передавала "уличных" интервью с выжившими, не рассказывала, как потрясло их это огульное уничтожение.

То, что стало называться "освещением войны в формате видеоигры", — это просто отражение той идеи, которая направляет американскую внешнюю политику со времени войны в Персидском заливе: можно вмешиваться в конфликты по всему миру — в Ираке, в Косове, в Афганистане — с минимальными потерями для США. Правительство Соединенных Штатов поверило в оксюморон: безопасную войну.

И именно эта логика, снова и снова отражающаяся в нашем одностороннем освещении глобальных конфликтов, способствует разрастанию слепой ярости во многих уголках мира, ярости на неустранимую асимметрию страданий. В этом-то контексте и являются извращенные искатели мести — не столько с конкретными требованиями, сколько с примитивной потребностью, чтобы граждане США разделили их страдания.

Тем из нас, кто работает в СМИ, легко сказать себе: у нас нет иного выбора, кроме как участвовать в этой брутальной арифметике. Конечно, нам больше дела до смерти одних людей, чем других. В мире просто слишком много кровопролития, чтобы оплакивать каждую смерть и даже каждую массовую резню. И мы, чтобы не свихнуться, выбираем для себя: дети волнуют нас сильнее взрослых, люди, похожие на нас, сильнее, чем непохожие.

Наверно, это естественно — если посметь применить это слово. Но эти расчеты становятся все более тревожащими в контексте быстро консолидирующихся глобальных медиа-империй, а они сейчас делаются главным источником новостей для все большего числа людей во всем мире. CNN, BBC и NewsCorp, хотя и стараются выглядеть интернациональными, даже "без гражданства", однако же вещают с отчетливо американских и европейских позиций. Когда они говорят "мы", это "мы" профильтровано через Атланту, Лондон или Нью-Йорк. Вопрос в том, что получается, когда луч этого "мы" с его узкими культурными посылками, тщательно замаскировавшись под "мы" глобальное, добирается до удаленнейших уголков нашего глубоко разделенного мира.

Этот процесс универсализации редко ставят под сомнение, особенно те, кто продюсирует глобальные средства информации. Считается, что мы входим в некую общую культуру: смотрим одни и те же плохие фильмы, любим Дженнифер Лопес, носим Nike и едим в McDonald's, то есть естественно, что мы станем оплакивать одни и те же смерти — Дианы или нью-йоркских пожарных. Но этот перенос неизбежно односторонен. Глобальное "мы" — в определении Лондона и Нью-Йорка — теперь достигает мест, явно не включенных в узкие рамки этого "мы", в дома и бары, где местные утраты не воспринимаются как глобальные, где эти местные утраты как-то преуменьшаются по сравнению с величественностью, глобальностью нашей собственной проецируемой боли.

Как журналисты, мы, вероятно, не хотели бы столкнуться с последствиями наших вычислений, но нам от них не уйти. Наши местнические пристрастия благодаря глобальным спутникам открываются всем взорам, и когда мы глобализуем наши собственные страдания, "они" воспринимают от нас послание, что они — не "мы", не часть глобальных "нас". И их это злит. Очень.

После 11 сентября я разговаривала с друзьями из Южной Африки и Ирана, которых злит, что от них требуют излияний скорби по случаю атак. Они говорят, что это расизм — требовать от мира, чтобы он оплакивал и мстил за американские смерти, когда так много смертей в их странах остаются не оплаканными и не отомщенными. Я спорю с этими друзьями. Это моральный тупик, говорю я. Оплакивать страшные потери друг друга — значит быть людьми. И все же я, после больших колебаний, в итоге признала, что, возможно, и сама требую слишком многого. Возможно, что мы, на Западе, лишились, хотя бы временно, права ожидать ответного сострадания от тех, кто видел так много безразличия к гибели своих любимых, так много асимметрии сострадания.

Мы у себя в Канаде только что прошли через громкий скандал, когда одна из ведущих феминисток страны отозвалась об американской внешней политике как о "пропитанной кровью". Так нельзя, говорили многие, особенно после атак на США. Ее даже хотели привлечь к суду за разжигание розни. Защищаясь от критиков, Сунера Тобани, когда-то иммигрировавшая в Канаду, сказала, что продуманно подобрала слова для выражения своей мысли — несмотря на бесплотный язык лазерного оружия спутникового наведения и точечных разрушений, жертвы американской агрессии тоже проливают кровь.

"Я пытаюсь гуманизировать этих людей в глубоко наглядных образах, — пишет она. — Это заставляет нас признать элементарную вещественность земли, на которую дождем сыплются бомбы и где царит массовый террор. Этот лексикон призывает "нас" признать, что “они” истекают кровью, как и “мы”, что “они”, подобно “нам”, испытывают боль и страдание.

Впечатление такое, что это и есть “цивилизация”, за которую мы боремся: споры о том, кому разрешено истекать кровью. “Сострадание, — написал мне на прошлой неделе один друг, — это не игра с нулевой суммой. Но, бесспорно, есть что-то невыносимое в иерархии смертей (1 американец=2 западноевропейца=10 югославов=50 арабов=200 африканцев), в которой намешаны в равных пропорциях власть, богатство и раса”.

Нам, деятелям СМИ, необходимо поглубже заглянуть в свою работу и спросить себя, как мы подпитываем эту девальвацию человеческих жизней и проистекающие из нее ярость и безоглядность. Традиционно мы слишком привыкли гладить себя по головке в убежденности, что наша работа делает людей более сострадательными, более связанными. Помните, спутниковое телевидение было призвано принести демократию в мир, во всяком случае, так нам говорили в 1989 году. Председатель правления Viacom International Сампер Рудстоун как-то сказал: “Мы принесли MTV в Восточную Германию, и на второй день пала Берлинская стена”, и также Руперт Мердок: “Спутниковое вещание дает возможность жаждущим информации жителям многих закрытых обществ обойти телевидение, контролируемое государством”.

Но прошло десять лет, и уже ясно: вместо того чтобы нести демократию, глобальное TV афиширует неравенство и асимметрию, раздувает пламя негодования. В 1989 году западных журналистов рассматривали как союзников в борьбе за свободу. “Весь мир наблюдает", — скандировали толпы во время "бархатной революции" и на площади Тяньаньмэнь. Сейчас журналисты уже привыкли к гневным выкрикам в свой адрес со стороны демонстрантов, видящих в них участников системы, которая затушевывает неравенство и маргинализует голоса инакомыслия. А на этой неделе уже совсем трагично — некоторые американские журналисты распечатывают конверты с белым порошком, вдруг — какая дикость! — становясь героями истории, которую взялись освещать.

Как много в этом конфликте связано с тем, кому и чему выпадает быть увиденным и услышанным, чьи жизни считаются, а чьи нет. Атаки на Нью-Йорк и Вашингтон были явно рассчитаны не только как удары, но и как спектакли, ради их театрального эффекта. И их таки ухватили камеры со всех углов, и показывали без конца, и заново переживали. А как насчет того, что происходит в Афганистане прямо сейчас? Госдепартамент США попросил телевизионные сети и газеты не воспроизводить сообщения бен Ладена, так как они могут раздувать антиамериканские настроения. А Пентагон купил за два миллиона долларов в месяц эксклюзивные права на весь спектр единственного частного спутника над Афганистаном, который обеспечивает разрешение достаточно высокое, чтобы разглядеть людей.

Если бы мы могли видеть эти изображения на наших телеэкранах — человеческие жертвы, потоки беженцев, — это могло бы значить, что смерть и уничтожение в Афганистане, хоть както, хоть немного, но начали бы приобретать подобную смертям в Нью-Йорке и Вашингтоне реальность и человечность. И нам пришлось бы сталкиваться с реальными людьми, а не смотреть на выхолощенную видеоигру. Но ни одно из этих изображений не может быть допущено на экран без разрешения Министерства обороны — никогда.

Эта безмолвная война за то, чьи жизни считаются, а чьи смерти коллективно оплакиваются, шла уже задолго до 11 сентября. Собственно говоря, немалая часть потрясения от 11 сентября имела отношение к тому, насколько невидимыми были глобальные страдания в главном потоке американской прессы, насколько отодвинутыми в сторону эйфорией процветания и торговли.

Так вот, 11 сентября Америка проснулась посреди войны и обнаружила, что война идет уже годы, только никто им этого не сказал. Они слушали об О.Дж. Симпсоне, а не о губительных последствиях экономических санкций для иракских детей. Они слушали о Монике, а не о последствиях бомбежки фармацевтической фабрики. Они узнавали о *Survivor*, а не о роли ЦРУ в финансировании моджахедов. “Вот в чем загвоздка, — отмечает индийский писатель Арундхати Рой. — Америка воюет против людей, которых не знает, потому что они не очень мелькают на ТВ”.

Кристофер Айшервуд однажды написал об американцах: “Европейцы ненавидят нас потому, что мы удалились в жизнь внутри нашей рекламы, как отшельники удаляются для медитации в пещеры”. Этот уход в самозамкнутый кокон СМИ отчасти объясняет, почему атаки 11 сентября казались обрушившимися не из другой страны, а с другой планеты, из параллельной вселенной — такая была дезориентация и путаница.

Но вместо того чтобы опомниться и заполнить этот пробел — в информации, анализе, понимании, — нам преподносят старые песни: это пришло ниоткуда, это необъяснимо, у этого нет прошлого; “они” нас ненавидят; они хотят отнять у нас нашу демократию, наши свободы, наше добро. Вместо того чтобы спросить, почему случились эти атаки, наши телевизионные сети снова и снова их показывают.

В то самое время, когда американцам больше всего нужна информация о внешнем мире — и о сложном и тревожном месте в нем их страны, — они получают лишь собственные отражения, снова, и снова, и снова: американцы плачут, американцы приходят в себя, американцы ободряются, американцы молятся. Какой-то медийный дом зеркал, тогда как нужно нам — побольше окон в мир.

Новые оппортунисты

Торговые переговоры теперь осенены праведностью священной войны

Октябрь 2001

Претендентов на звание Величайшего политического оппортуниста после 11 сентября множество: политики, проталкивающие судьбоносные законы, пока избиратели еще в трауре; корпорации, ловящие в мутной воде деньги налогоплательщиков; ученые мужи, обвиняющие своих оппонентов в государственной измене. Но из этого хора драконовских предложений и маккартианских угроз выделяется один голос. Он принадлежит Робин Мейзер. Она использует 11 сентября, чтобы призвать к международному крестовому походу на поддельные футболки.

Не удивимся, что Мейзер — юрист по торговым делам в Вашингтоне. Еще меньше удивимся, что она специализируется на торговых законах, охраняющих крупнейшую из всех статей экспорта США — авторские права. Это музыка, кино, логотипы, патенты на семена, программное обеспечение и многое другое. TRIPS (trade-related intellectual property rights, относящиеся к торговле права интеллектуальной собственности) — одно из самых спорных сопроводительных соглашений из всех подготавливаемых к встрече Всемирной торговой организации в Катаре в ноябре 2001 г. На этом поле боя разгораются дискуссии, охватывающие все — от права Бразилии распространять generic, лекарства от СПИДа (без брендовых названий), до бурного китайского рынка пиратских CD Бритни Спирс.

Американские транснационалы рвутся на эти крупные рынки, но они хотят защиты. Тем временем, многие слаборазвитые страны утверждают, что охрана TRIPS обходится в миллионы, а тиски интеллектуальной собственности повышают расходы местных предпринимателей и потребителей.

Какое отношение имеют все эти торговые пререкания к терроризму? Ровным счетом никакого. Ну разве что спросить Робин Мейзер, которая на прошлой неделе написала статью в Washington Post под заголовком "От футболки к терроризму: поддельная найковская загогулина может помогать сети бен Ладена".

Вот что она пишет: "Недавние события заставляют предполагать, что многие правительства, подозреваемые в поддержке "Аль-Каиды", также продвигают, будучи подкупленными, или, как минимум, игнорируют чрезвычайно прибыльную торговлю поддельной или пиратской продукцией, способную генерировать гигантские денежные потоки для террористов".

"Заставляют предполагать", "подозреваемые", "как минимум", "способную" — не многовато ли для одного предложения, особенно со стороны человека, работавшего когда-то в департаменте юстиции США? Но заключение недвусмысленно: либо проводи в жизнь TRIPS, либо ты на стороне террористов. Добро пожаловать в новый прекрасный мир торговых переговоров, где любой самый темный пункт осеняется праведностью священной войны.

Политический оппортунизм Робин Мейзер приводит к интересным противоречиям. Торговый представитель США Роберт Зеллик использует 11 сентября еще с одной оппортунистической целью: обеспечить президенту Джорджу Бушу право "сверхскоростных" торговых переговоров. В результате президент будет заключать новые торговые сделки, которые Конгресс сможет либо одобрить, либо отвергнуть, но не поправить. Согласно Зеллику, эти новые полномочия нужны потому, что торговля "способствует распространению ценностей, лежащих в сердцевине этой затяжной борьбы".

Какое отношение имеют новые торговые сделки к борьбе с терроризмом? Видите ли, говорят нам, террористы ненавидят Америку именно потому, что они ненавидят потребительство — McDonald's, и Nike, и капитализм — ну, короче, свободу. Следовательно, торговать — значит презирать их аскетический крестовый поход, распространять те самые продукты, которые они ненавидят.

Секундочку: только что Мейзер говорила, что всякие там подделки подкармливают терроризм! В Афганистане, утверждает она, можно купить "футболку с поддельным логотипом Nike, прославляющую бен Ладена как великого моджахеда ислама". Похоже, перед нами более сложный сценарий, чем поверхностная дихотомия — потребительский "Мак-Мир" против антипотребительского джихада. Если Мейзер права, то эти два мира не просто неразрывно переплетены, но и образы "Мак-Мира" используются для финансирования джихада.

Впрочем, некоторая сложность не повредит. Эта дезориентация, с которой сталкиваются сейчас многие американцы, отчасти связана с раздутой и слишком упрощенной ролью, которую играет потребительство в американском восприятии жизни. Покупать — значит быть. Покупать — значит любить. Покупать — значит голосовать. Живущие не в США люди, которые хотят Nike — даже поддельные Nike, — должны хотеть быть американцами, должны любить Америку, должны как-то там голосовать за все то, за что стоит Америка.

Вот такая сказочка и повторяется с 1989 года, когда те же самые медийные компании, что доносят до нас "войну Америки против терроризма", возвещали, что их телевизионные спутники сокрушат диктатуры по всему миру. Потребление приведет к свободе. Но все эти оптимистичные россказни теперь рушатся: авторитаризм сосуществует с потребительством, желание иметь американские товары смешивается с гневом на неравенство.

Ничто не выявляет этих противоречий яснее, чем торговые войны против "поддельных" товаров. Пиратство процветает в глубоких кратерах глобального неравенства, когда спрос на потребительские товары на десятилетия опережает покупательную способность. Оно процветает в Китае, где товары, производимые в потогонных цехах исключительно на экспорт, продаются за столько, сколько рабочие этих цехов не зарабатывают и за месяц. В Африке, где цены на лекарства от СПИДа — жестокая шутка. В Бразилии, где CD-пиратов прославляют как музыкальных робингудов.

Для оппортунизма сложность — гнилое дело. Нам же она помогает приблизиться к истине, даже если это означает копаться в куче подделок.

Капиталисты-камикадзе

Во время переговоров ВТО в Катаре их участники были истинно верующими

Ноябрь 2001

Как вы назовете человека, который так крепко верит в обетованное спасение посредством набора строгих правил, что готов рисковать жизнью ради распространения этих правил? Религиозным фанатиком? Рыцарем священной войны? А как насчет американского торгового представителя?

В пятницу Всемирная торговая организация открывает свою встречу в катарском городе Дохе. Согласно брифингам службы безопасности США, есть основания полагать, что “Аль-Каида”, имеющая в этом государстве Персидского залива множество фанатов, сумела водворить в страну своих тайных агентов, и среди них даже есть специалист по взрывчатке. Несколько террористов могли даже уже проникнуть в катарскую армию. При такой угрозе, подумаете вы, США и ВТО должны были бы отменить встречу. Но только не эти истинно верующие.

Вместо этого американских делегатов снабдили противогазами, радиопереговорными устройствами и препаратами на случай биотерроризма. (Канадским делегатам тоже выдали эти препараты.) Пока участники переговоров будут спорить о сельскохозяйственных субсидиях, о пиломатериалах из мягкой древесины и о фармацевтических патентах, наготове будут вертолеты, чтобы перебросить делегатов на стоящие в Персидском заливе авианосцы, — быстрый уход на манер Бэтмана. Не боясь ошибиться, можно сказать, что Доха — это не какие-то там обыкновенные торговые переговоры; это нечто новое. Назовем это "капитализмом камикадзе".

На прошлой неделе торговый представитель США Роберт Зеллик похвалил свою делегацию за готовность "идти на жертвы" перед лицом такого "несомненного риска". Почему они это делают? Вероятно, потому же, почему люди и всегда кладут жизнь за дело, которому служат: они верят в набор правил, обещающий нечто более высокое.

В данном случае, бог — это экономический рост, и он обещает спасти нас от глобальной рецессии. Все больше рынков ждут нашего прихода, все больше секторов — приватизации, все больше регулирующих нормативов — отмены; и от всего этого графики в углу наших телевизионных экранов снова станут взлетать в небеса.

Конечно, роста на совещании не создашь, но Доха может добиться чего-то другого, чего-то более религиозного, чем экономического. Она может послать рынку "знамение", что рост уже за углом, что экспансия уже на подоходе. И новый амбициозный раунд переговоров ВТО и есть такое знамение, о котором они молятся. У богатых стран вроде нашей потребность в таком знамении просто отчаянная. Она более насущна, чем любые возможные проблемы с нынешними правилами ВТО, проблемы, принесенные, по большей части, бедными странами, которым надоела такая система, которая заставила их снизить свои торговые барьеры, тогда как богатые страны сохраняют свои.

Потому неудивительно, что бедные страны выступают самым резким оппонентом этого раунда. Прежде чем согласиться на радикальное расширение проникновения ВТО, многие из них просят богатые страны выполнить обещания, данные на предыдущем раунде. Крупные дебаты возникают вокруг сельскохозяйственных субсидий и демпинга, таможенных пошлин на одежду и патентования форм жизни. Самый напряженный вопрос — патенты на лекарства. Индия, Бразилия, Таиланд и коалиция стран Африки хотят ясных формулировок, утверждающих, что патенты могут быть обойдены ради спасения здоровья нации. США и Канада не просто сопротивляются — они сопротивляются в то самое время, когда их делегации направляются в Катар, глотая сипрон. Скидки на него были выторгованы у Bayer с помощью той же самой тактики давления, которую они называют нечестной торговой практикой.

Эти вопросы не отражены в проекте министерской декларации. Поэтому Нигерия обвинила ВТО в "односторонности" и "игнорировании интересов развивающихся и наименее развитых стран". Представитель Индии в ВТО на прошлой неделе сказал, что проект "оставляет неприятное впечатление: не предпринимается серьезных усилий ввести важные для развивающихся стран проблемы в главную повестку дня".

Эти протесты производят на ВТО мало впечатления. Рост — вот единственный бог переговоров, и любая мера, которая может хотя бы немного замедлить рост прибылей фармацевтических, водоснабженческих, нефтяных компаний, рассматривается истинно верующими как исходящая от неверных и грешников.

То, что мы наблюдаем, — это "пакетирование" (в стиле Microsoft) торговли в рамках "войны с терроризмом" с ее логикой "кто не с нами, тот против нас". На прошлой неделе Зеллик объяснил, что "проводя повестку дня ВТО, эти 142 страны могут противостоять отвлекающему деструкционизму терроризма". Открытые рынки, сказал он, это "антидот" "насильственному режекционизму" (от reject — отвергать) террористов. (Характерно, что эти недоводы сварганены из придуманных слов.)

Он, кроме того, призвал государства — члены ВТО отбросить свои мелочные заботы о массовом голоде и СПИДе и войти в экономический фронт войны, которую ведет Америка. "Мы надеемся, что представители, которые собираются в Дохе, осознают, что ставки гораздо более высоки", — сказал он.

Торговые переговоры — это дело власти и предоставляющихся возможностей, и для капиталистов-камикадзе в Дохе терроризм — очередная благоприятная возможность, которую надо использовать. Это оппортунизм в чистом виде. Может быть, их лозунгом может служить афоризм Ницше: что нас не убьет, сделает сильнее. Гораздо сильнее.

Страшное возвращение великих мужей

Когда несколько человек решают жить как исполины, нас всех топчут

Декабрь 2001

После распространения видеозаписи каждый жест, каждый смешок, каждое слово Усамы бен Ладена анатомируется. Но при всем внимании к бен Ладену его напарник по видео, названный в официальных субтитрах просто “шейхом”, изучался очень мало. И зря, потому что, кто б он ни был (а теорий есть несколько), он предоставляет нам редкостное окно в психологию мужчин, для которых массовая резня — это большая игра.

В вызывающем головокружение монологе гостя бен Ладена постоянно повторяется тема, что они живут во времена столь же величественные, как те, что описаны в Коране. Эта война, замечает он, как “в дни пророка Магомета. Точно то же происходит прямо сейчас”. Дальше он говорит, что “это будет похоже на ранние времена “Аль-Моджахедов” и “Аль-Анзара” [похоже на ранние времена ислама]”. И на случай, если мы недопоняли: “Как в былые времена, времена Абу Бекра, и Османа I, и Али, и прочих. В эти дни, в наши времена...”.

Легко вписать эту ностальгию в обычную теорию о том, что последователи Усамы бен Ладена застряли в Средневековье. Но эти высказывания отражают нечто большее. Не о каком-то там аскетическом средневековом образе жизни тоскует этот человек, а о жизни в мифологические времена, когда мужи были подобны богам, битвы были эпическими, а история писалась с большой буквы. Шел бы ты, Фрэнсис Фукуяма, как бы говорит он. История не окончена! Мы делаем ее, здесь и сейчас!

Это идея, которая несется со всех сторон после 11 сентября, возвращение великого повествования: избранные мужи, империи зла, генеральные планы, великие баталии. Все это дико в моде. Библия, Коран, Столкновение цивилизаций, "Властелин колец" — все это вдруг стали прокручивать "в эти дни, в наши времена".

Это искупительное повествование — наш самый устойчивый миф, и у него есть опасная оборотная сторона. Когда несколько человек решают прожить свой миф, стать исполинами, это не может не воздействовать на всех тех, чья жизнь разворачивается в обычных размерах. На этом фоне люди вдруг начинают выглядеть мелкими, ими легко жертвовать во имя великой цели.

Когда пала Берлинская стена, это эпическое повествование должно было бы оказаться погребенным под обломками. Это была решительная победа капитализма.

Теория Фрэнсиса Фукуямы о конце истории, вполне понятно, разозлила тех, кто проиграл эту гладиаторскую битву, стояли ли они за триумф глобального коммунизма или, в случае Усамы бен Ладена, за империалистический вариант ислама. Но после 11 сентября стало ясно, что конец истории также оказался бесплодной победой для американских воинов холодной войны. Впечатление такое, будто после 1989 года многим из них не хватает их эпического повествования, как не хватает ампутированной конечности.

Во время холодной войны потребление в США было не только делом удовлетворения личных потребностей — оно было экономическим фронтом великой битвы. Когда американцы шли на шопинг, они участвовали в образе жизни, который коммуняги предположительно хотели сокрушить. Когда многоцветные торговые мегацентры сравнивались с серыми и пустыми московскими магазинами, дело было не только в том, что мы на Западе могли легко купить Levi's 501s. В этом повествовании наши торговые центры означали свободу и демократию, тогда как их голые полки были метафорой контроля и репрессии.

Но когда холодная война закончилась и этот идеологический задник разорвали на тряпки, сопровождающий шопинг величественный смысл, испарился. Без идеологии шопинг стал просто шопингом. Реакцией корпоративного мира стал "брендинг стиля жизни" — попытка восстановить потребительство как философское или политическое занятие с помощью торговли могущественными идеями вместо просто товаров. Рекламные кампании пытались приравнивать свитера от Benetton к борьбе с расизмом, мебель от Ikea — к демократии, а компьютеры — к революции.

Брендинг стиля жизни на какое-то время заполнил вакуум "смысла" шопинга, но этого оказалось недостаточно, чтобы утолить амбиции рыцарей холодной войны старой закалки. Культурные изгнанники в созданном ими мире, эти рассерженные ястребы, провели свое самое триумфальное десятилетие, не радуясь этой новой, никем не оспариваемой мощи Америки, а брюзжа на то, что США "смягчились", обабились. Это была оргия всяческого ублажения, персонифицированная в Опре и Билле Клинтоне.

Но после 11 сентября История вернулась. Опять покупатели — это пехота в битве добра со злом, наряженная в новые звездно-полосатые бюстгальтеры от Elita и заглатывающая экстренный выпуск красно-бело-синих драже M&M.

Когда американские политики призывают своих граждан бороться с терроризмом посредством шопинга, речь идет о большем, чем о подпитке больной экономики. Речь снова идет о завертывании повседневного в обертку мифического — как и подобает к Рождеству.

Америка — это вам не гамбургер

Попытка Америки "ребрендировать" себя может оказаться еще худшим ляпом, чем New Coke*

Март 2002

Когда Белый дом решил, что пора вплотную заняться волной антиамериканизма во всем мире, он не стал искать помощи у карьерного дипломата. Нет; верный философии бушевской администрации — все, что может государственный сектор, частный сделает лучше, — он взял на эту работу одного из высших бренд-менеджеров с Мэдисон-Авеню**.

Задачей заместителя госсекретаря по публичной дипломатии и общественным делам Шарлотты Бирс было не улучшить отношения с другими странами, а произвести тщательную ревизию имиджа США за границей. Бирс никогда не работала в государственном департаменте, но она занимала высшие посты в рекламных агентствах J. Walter Thompson и Ogilvy & Mather и выстраивала бренды для всего на свете — от собачьего корма до электродрелей.

Теперь ее попросили применить свое колдовство для выполнения величайшей из всех брендинговых задач: продать Соеди-

---

* Классический пример провального маркетинга — попытка привести на рынок "Новую коку", вариант всем известного напитка. "Новая кока" вызвала общественный протест сторонников американских традиций (бренд-менов).

** Улица в Нью-Йорке, место сосредоточения рекламной индустрии.

ненные Штаты и их "войну с терроризмом" все более враждебному миру. Назначение рекламистки на такой пост, понятно, вызвало некоторую критику, но госсекретарь Коллин Пауэлл от нее отмахнулся. "Нет ничего плохого в назначении человека, который умеет что-то продавать. Мы продаем продукт. Нам нужен кто-то для ребрендинга американской внешней политики, ребрендинга дипломатии". Кроме того, сказал он, "она убедила меня покупать рис Uncle Ben's".

Так почему же всего пять месяцев спустя кампания за новый, усовершенствованный бренд USA оказывается в таком беспорядке? В нескольких случаях ее социальную рекламу уличали в произвольном обращении с фактами. А когда Бирс отправилась в январе в Египет с миссией улучшить имидж США среди арабских "творцов общественного мнения", ничего хорошего из этого не вышло. Мухаммед Абдель Хади, один из редакторов газеты "Аль Ахрам", покинул встречу с Бирс в полной фрустрации от того, что она выглядела более заинтересованной в разговорах о расплывчатых американских ценностях, чем о конкретных шагах политики США. "Как ни старайся заставить их понять, — сказал он, — они не понимают".

Недоразумение, скорее всего, возникло оттого, что для Бирс запятнанная международная репутация США — немногим более чем коммуникационная проблема. Несмотря на всю глобальную культуру, изливающуюся из Нью-Йорка, Лос-Анджелеса и Атланты, несмотря на то что можно смотреть CNN в Каире и *Black Hawk Down* в Могадишо, Америке все еще не удалось, по словам Бирс, "выйти на люди и рассказать свою историю".

На самом же деле, проблема как раз противоположная: маркетинг Америкой самой себя до сих пор был слишком успешным. Школьники могут продекламировать ее заявления о приверженности демократии, свободе и равным возможностям с такой же легкостью, с какой McDonald's ассоциируется у них с развлечением для всей семьи и Nike с хорошей спортивной формой. И они ожидают, что США окажутся на уровне этих обещаний.

Если они гневаются, как очевидно гневаются миллионы, то это потому, что видят, как американская политика предает эти обещания. Вопреки уверениям президента Буша о ненависти врагов Америки к ее свободам, большинство критиков США вовсе не возражают против утверждаемых Америкой ценностей. Но они указывают на исключительность Америки перед лицом международных законов, на расширяющуюся имущественную пропасть, на подавление иммигрантов и нарушения прав человека — последние случаи в тюремных лагерях Гуантанамо. Гнев проистекает не только из фактов каждого случая, но и из ясного ощущения лживости рекламы. Иными словами, проблема Америки не в ее бренде — который вряд ли может быть сильнее, — а в ее продукте.

Есть и другое, более глубокое препятствие на пути нового запуска бренда USA, и оно связано с природой самого брендинга. Успешный брендинг, как написал недавно в Advertising Age председатель правления и совета директоров рекламного агентства BBDO Worldwide Ален Розеншайн, "требует тщательно разработанного послания, доставляемого с постоянством и дисциплиной". Совершеннейшая истина. Но ценности, которые поручено продавать Шарлотте Бирс — это демократия и многообразие, ценности, которые глубоко несовместимы с "постоянством и дисциплиной". Добавьте сюда то обстоятельство, что многие из самых стойких критиков Америки уже ощущают, как правительство США запугиваниями принуждает их к послушанию (и ощетиниваются на выражения типа "страны-изгои"), — и вы почувствуете, как американская брендинговая кампания может выстрелить по своим, да еще как.

В корпоративном мире, как только "образ бренда" согласован высшим руководством, он проводится в жизнь с военной точностью во всех операциях компании. Образ бренда может быть скроен по меркам местного языка и культурных предпочтений (в Мексике в McDonald's подают острый соус), но его коренные черты — эстетика, послание, логотип — остаются неизменными.

Такое постоянство и есть то, что бренд-менеджеры любят называть "обещанием" бренда: это обязательство, что куда бы на свете ты ни поехал, в Wal-Mart, Holiday Inn или в тематическом парке Disney тебе будет комфортабельно и привычно. Все угрозы данной однородности подрывают общую силу компании. Вот почему, когда бренд с энтузиазмом "впаривают", оборотная сторона этого — агрессивные гонения на всякого, кто попытается этот бренд тронуть, будь то пиратское использование его торговой марки или распространение нежелательной информации о нем в Интернете.

Сердцевина брендинга — жестко контролируемое одностороннее послание, рассылаемое в самом глянцевом его виде и затем герметически изолируемое от тех, кто хотел бы превратить этот корпоративный монолог в общественный диалог. Самыми мощными орудиями при запуске сильного бренда могут быть исследование, творчество и планирование, но после этого лучшими друзьями бренда становятся законы о клевете и авторских правах.

Когда бренд-менеджеры переключают свое мастерство с корпоративного мира на политический, они со всей неизбежностью приносят с собою этот фанатизм однородности. Например, когда Уолли Олинса, одного из основателей брендовой консультационной фирмы Wolff Olins, спросили о его впечатлениях об американской проблеме имиджа, он посетовал, что у "людей нет единой и ясной идеи того, за что выступает страна, а есть десятки, если не сотни идей, которые самым невероятным образом перепутаны у людей в голове. Часто встретишь людей, которые и восхищаются, и возмущаются Америкой, даже на протяжении одной фразы".

С точки зрения брендинга, конечно, было бы досадно, если бы оказалось, что мы одновременно восхищаемся и возмущаемся своим стиральным порошком. Но когда речь идет об отношениях с правительствами, особенно с правительством самой могущественной и богатой страны в мире, уж наверняка этому приличествует некоторая сложность. Придерживаться противоречивых взглядов на США — скажем, восхищаться их творческими способностями, но негодовать на их двойные стандарты — не значит, что у тебя "перепутано в голове", говоря словами Олинса, а значит, что ты внимателен.

Кроме того, немало направленного против США гнева порождается убежденностью — выражаемой столь же громко в Аргентине, сколь и во Франции, и в Индии, и в Саудовской Аравии, — что США уже требуют слишком много "постоянства и дисциплины" от других стран; что под провозглашаемой ими преданностью демократии и суверенитету они глубоко нетерпимы к отклонениям от экономической модели под названием "вашингтонский консенсус". Проводятся ли эти правила в жизнь базирующимся в Вашингтоне Международным валютным фондом или посредством международных торговых соглашений, критики США в целом ощущают, что мир и так уже находится под слишком сильным влиянием американского бренда власти (не говоря уже об американских брендах).

Есть еще одно основание опасаться перемешивания логики брендинга с практикой управления. Когда компании стараются внедрить глобальное постоянство имиджа, они выглядят как безликие организаторы избирательной кампании. Когда того же добиваются правительства, они выглядят отчетливо авторитарными. Не случайно на протяжении истории политические лидеры, наиболее озабоченные брендингом себя и своих партий, страдали также аллергией к демократии и многообразию. Вспомним Мао Цзе-дуна с его гигантскими настенными росписями и красными книгами, вспомним, да, Адольфа Гитлера, человека, до крайности одержимого чистотой образа — в партии, в стране, в расе. Это всегда было отвратительной оборотной стороной диктаторов, боровшихся за постоянство бренда: централизованная информация, контролируемые государством СМИ, перевоспитательные лагеря, чистки диссидентов и еще много хуже.

У демократии, к счастью, идеи другие. В отличие от крепких брендов, которые предсказуемы и дисциплинированны, у истинной демократии характер беспорядочный и фракционный, если не прямо бунтарский. Пусть Бирс и ее коллеги и уговорили Коллина Пауэлла покупать Uncle Ben's, создав утешительный брендовый образ, но США не сделаны из идентичных зернышек риса, гамбургеров с конвейера или рубашек в стиле хаки от Gap.

Самый их сильный "брендовый атрибут", пользуясь выражением из мира Бирс, — это встроенное в них многообразие, ценность, которую Бирс теперь пытается штамповать по общему для всего мира трафарету, не замечая в этом глубокой иронии. Задача эта не только тщетная, но и опасная: брендовое постоянство и человеческое многообразие противоположны друг другу: одно ищет одинаковости, другое прославляет различия; одно боится незашифрованных сообщений, другому органичны полемика и инакомыслие.

Теперь понятна путаница "в наших головах". Недавно в Пекине, расхваливая товар бренда USA, президент Буш утверждал, что "в свободном обществе многообразие не есть беспорядок. Полемика не есть ссора". Аудитория вежливо поаплодировала. Послание могло бы оказаться более убедительным, если бы эти ценности были лучше продуманы в коммуникациях администрации Буша с внешним миром как в ее имидже, так и в политике.

Потому что, как справедливо указывает президент Буш, многообразие и полемика — душа демократии. Но они же — враги брендинга.

V

ОКНА В ДЕМОКРАТИЮ

[Глава, в которой проглядывает надежда —
в политическом движении за радикальную
децентрализацию власти, возникающем
в горах Чьяпаса и в городских вертепах Италии]

V

ОКНА В ДЕМОКРАТИЮ

[Глава, в которой проглядывает надежда — в политическом движении за радикальную децентрализацию власти, возникающем в горах Чьяпаса и в городских вертепах Италии]

Демократизация движения

Когда активисты собрались на первый Всемирный социальный форум, никакая повестка дня не могла вместить все многообразие тем

Март 2001

"Мы здесь для того, чтобы показать миру возможность существования другого мира", — сказал человек на сцене, и более чем десятитысячная толпа одобрительно заревела. Наши приветственные клики были обращены не к какому-то конкретному другому миру, а именно к возможности такового. Мы приветствовали идею, что другой мир может существовать — в принципе.

На протяжении последних тридцати лет избранная группа представителей совета директоров и мировых лидеров собирается в последнюю неделю января на одной горной вершине в Швейцарии, чтобы заняться тем, чем, по их мнению, могут заниматься только они: определять, как следует управлять глобальной экономикой. Мы ликовали: ведь это тоже была последняя неделя января, и это не был Всемирный экономический форум в швейцарском городе Давосе. Это был первый ежегодный Всемирный социальный форум в бразильском городе Порто Алегре. И пусть мы не были CEO и мировыми лидерами, мы все равно собирались провести неделю в разговорах о том, как следует управлять глобальной экономикой.

Многие говорили, что ощущают, как в этом зале делается история. Я же чувствовала нечто менее осязаемое: конец "конца истории". И очень кстати официальным лозунгом мероприятия было "Другой мир возможен". После полутора лет протестов против Всемирной торговой организации, Всемирного банка и Международного валютного фонда Всемирный социальный форум получил огласку как шанс для этого зарождающегося движения перестать кричать о том, против чего оно выступает, и начать членораздельно выражать за что.

Если для многих Сиэтл был первым балом некоего движения сопротивления, то, по словам Сорена Амброза, политического аналитика организации, "50 лет — это достаточно", "Порто Алегре — это первый бал серьезных размышлений об альтернативах". Ударение делалось на альтернативах, исходящих от тех стран, которые острее всех ощущают негативные последствия глобализации — массовую миграцию, расширяющееся экономическое неравенство, ослабление политической власти.

Порто Алегре выбрали местом встречи потому, что там, так же как и в штате Рио Гранде до Суль, у власти стоит бразильская Рабочая партия (Partido dos Trabalhadores, PT). Конференцию организовала сеть бразильских профсоюзов и неправительственных организаций, но PT предоставила оборудованные по последнему слову техники помещения в Католическом университете Порто Алегре и оплатила счета за усыпанный звездами список докладчиков. Спонсоры в лице прогрессивного правительства — это было нечто новое для людей, привыкших к тому, что их встречают облаками перечного спрея, обысками с раздеванием на границах и свободными от протестов зонами. В Порто Алегре активистов приветствовали дружелюбные полицейские и официальные транспаранты от департамента туризма.

Хотя конференция была организована на местном уровне, фактически она была плодом мысли ATTAC France — коалиции профсоюзов, фермеров и интеллигенции, ставшей наиболее публично видимым представительством антиглобалистского движения в большой части Европы и в Скандинавии. (ATTAC — аббревиатура французского названия Ассоциации за налоги на финансовые транзакции для помощи гражданам.) Основанная в 1998 году Бернаром Гассеном и Сюзанной Жорж из социалистического ежемесячника La Monde Diplomatique, ATTAC начинала свою деятельность с кампании за проведение в жизнь "налога Тобина", предложенного американским нобелевским лауреатом Джеймсом Тобином налога на все спекулятивные финансовые транзакции. Верная своим марксистским интеллектуальным корням, группа не раз высказывала недовольство недостаточно когерентной направленностью североамериканского антикорпоративного движения. "Неудачей Сиэтла стала неспособность выработать общую повестку дня, глобальный альянс борьбы против глобализации", — говорит Кристоф Агитон из ATTAC, участвовавший в организации форума.

Отсюда и идея Всемирного социального форума: ATTAC рассматривала конференцию как шанс свести вместе лучшие умы, работающие над альтернативами неолиберальной экономической политики — включая не только новые системы налогообложения, но и все прочее, — от культурного землепользования до демократии с участием масс, от кооперативного производства до независимых

СМИ. Из этого процесса обмена информацией, полагала АТТАС, и родится "общая повестка дня".

Результатом встречи стало нечто гораздо более сложное — столько же хаоса, сколько согласия, столько же разногласия, сколько единства. Та коалиция сил, которую часто помещают под знамена антиглобализации, начала в Порто Алегре преобразовываться в движение за демократию. На самом Всемирном социальном форуме и, что еще важней, в связи со следующим раундом переговоров Всемирной торговой организации и обсуждением Зоны свободной торговли американских государств движению пришлось столкнуться с изъянами собственной, внутренней демократии и задаться трудными вопросами о том, как в нем принимаются решения.

Одной из трудностей было отсутствие у организаторов представления о возможном количестве участников "Давоса активистов". Атила Роке, координатор Ibase, бразильского института формирования политики и член организационного комитета, рассказывает, что на протяжении месяцев они планировали встречу двух тысяч человек. И вдруг десять тысяч, а на отдельных мероприятиях и еще больше, представителей тысячи группировок из 120 стран. Большинство из этих делегатов не имели представления о том, куда направляются, что это — модель ООН? Гигантский диспут-семинар? Политический съезд активистов? Тусовка?

Результатом стал странный гибрид всего названного плюс — по крайней мере, на церемонии открытия — немного от ресторанного шоу в стиле Лас-Вегаса. В первый день форума, когда отзвучали выступления и мы покричали приветствия в честь окончания "конца истории", свет в зале погас, и на двух гигантских экранах стали высвечиваться сцены нищеты в *favelas* Рио. На сцене появился строй перебирающих ногами танцоров с опущенными головами. Постепенно фотографии на экране становились более обнадеживающими, а люди на сцене принялись бегать, размахивая орудиями своей борьбы — молотками, пилами, кирпичами, топорами, книгами, ручками, клавиатурами компьютеров, просто кулаками. В финальной сцене беременная женщина сеяла семена — семена, сказали нам, другого мира.

В этом коробило не столько то, что этот специфический жанр утопическо-социалистического танца не ставился на сцене с 1930-х годов, времен федерального проекта искусств в рамках Управления развития общественных работ (Works Progress Administration) Нового курса президента Рузвельта, сколько то, что здесь использовали такую новейшую концертную технику — совершенную акустическую систему, профессиональное освещение, наушники с синхронным переводом на четыре языка. Нам, всем 10 тысячам, раздали мешочки с семенами, чтобы мы взяли их домой и там посеяли. Эдакое сочетание социалистического реализма с бродвейским мюзиклом "Кошки".

Форум изобиловал такими наслоениями подпольных идей вперемешку с характерным для бразильской культуры поклонением знаменитостям: усатые местные политики в сопровождении своих блестящих жен в белых платьях с голыми спинами запанибрата с президентом Бразильского движения безземельных крестьян, в активе которого сокрушенные ограждения и самовольно занятые бесхозные земли. Какая-то старушка из аргентинской организации "Матери Плаза де Майо" в белой шали с вышитым на ней именем ее без вести пропавшего ребенка рядом с бразильским футболистом, обожаемым настолько, что его присутствие подвигнуло нескольких закоренелых политиканов отрывать куски своей одежды и просить автографы. А Жозе Бове не мог и шагу ступить без кордона телохранителей, ограждавших его от папарацци.

Каждый вечер конференция перемещалась на открытый амфитеатр, где выступали музыканты со всего мира, в том числе Quartera Patria, одна из кубинских групп, которую прославил документальный фильм Уима Уэндерса *The Buena Vista Social Club*. Вообще все кубинское шло здесь на ура. Стоило только выступающему упомянуть о существовании этого островного государства, как зал взрывался скандированием "Куба! Куба! Куба!". Надо сказать, что скандирование вообще шло здесь на ура, и не только в честь Кубы, но и в честь почетного президента рабочей партии Луиса Иньясио ("Лулы") да Сильва ("Лула! Лула!"). Жозе Бове удостоился собственного скандирования — "Оле, оле, Бове, Бове" — это пели, как поют гимн перед началом футбольного матча.

Но кое-что на Всемирном социальном форуме на ура не шло, и это были Соединенные Штаты. Каждый день проходили акции протеста против "плана Колумбия" — стены смерти между Соединенными Штатами и Мексикой и против объявленной президентом Джорджем Бушем приостановки иностранной помощи со стороны новой администрации тем группам, которые предоставляют информацию об абортах. На семинарах и лекциях много говорилось об американском империализме, о засилии английского языка. Реальных граждан США заметно было не много. AFL-CIO (Американская федерация труда и Конгресс производственных профсоюзов) был едва представлен (президент Джон Суини был в Давосе), а от Национальной организации женщин не было никого. Даже Ноам Чомски, сказавший, что форум "предоставляет беспримерные возможности собрать вместе народные силы", прислал лишь свои извинения.

Организация "Общественный гражданин" (Public Citizen) прислала двоих, но ее звезда, Лори Валлах, была в Давосе. [Многое изменилось ко второму Всемирному социальному форуму, состоявшемуся в январе 2002 года: приехал Чомски, а также Валлах, в сопровождении более многочисленного контингента американских активистов.]

"Где же американцы?" — спрашивали люди в очередях за кофе и в интернет-залах. Теорий было много. Кто-то винил СМИ: американская пресса мероприятие не освещала. Из полутора тысяч аккредитованных журналистов американцев было, может быть, десять, из них половина из Independent Media Centers. Кто-то винил Буша: форум проходил через неделю после его инаугурации, то есть большая часть американских активистов была занята протестами против украденных выборов* и о поездке в Бразилию даже не думала. Кто-то винил французов: многие

---

* За Джорджа Буша-младшего в 2000 г. было подано меньшинство голосов, а победил он большинством проголосовавших за него штатов (с перевесом в 1), причем решающим штатом оказалась Флорида, где, по слухам, результаты выборов помог подтасовать губернатор, брат Буша.

американские группировки даже не знали о мероприятии, вероятно, потому, что международные коммуникации осуществляла АТТАС, которой, по признанию Кристофа Агитона, нужны "более крепкие связи с англосаксонским миром".

Большинство, впрочем, винило самих американцев. "Отчасти это просто отражение американского местничества", — сказал Питер Маркузе, профессор градостроительства из Колумбийского университета, один из докладчиков на форуме. История знакомая: если что-то происходит не в США, если не по-английски, если организовано не американскими группировками, то это не может быть чем-то таким уж важным — и уж во всяком случае, второй серией Битвы за Сиэтл.

В прошлом году обозреватель New York Times Томас Фридман писал из Давоса: "Каждый год на Всемирном экономическом форуме есть какая-нибудь звезда или выделяющаяся тема" — точка.com, азиатский кризис. В прошлом году, согласно Фридману, звездой Давоса был Сиэтл. В Порто Алегре тоже была своя звезда; ею, несомненно, была демократия: что с нею сталось? Как заполучить ее обратно? И почему ее не так уж много внутри самой конференции?

На семинарах и в секциях глобализацию определяли как массовое перемещение благосостояния и знаний из общественной сферы в частную — посредством патентования жизни и семян, приватизации воды и концентрированного владения сельскохозяйственными землями. В Бразилии эти разговоры представлялись не шокирующими новыми откровениями доселе неслыханного явления под названием "глобализация", как это часто бывает на

Западе, а частью неостанавливавшегося, начавшегося более пяти веков назад процесса колонизации, централизации и потери самоопределения.

Эта позднейшая стадия рыночной интеграции означает, что власть и принятие решений теперь перепоручаются тем, кто расположен еще дальше от мест, где ощущаются последствия этих решений. Одновременно все более тяжелое финансовое бремя возлагается на города и поселки. Реальная власть перешла с местного уровня на штатный, со штатного на национальный, с национального на интернациональный, и так до тех пор, пока представительная демократия не станет голосованием каждые столько-то лет за политиков, которые используют данный им мандат для передачи национальной власти ВТО и МВФ.

Для выхода из этого глобального кризиса представительной демократии наш форум пытался наметить возможные альтернативы, но вскоре оказался в замешательстве перед несколькими принципиальными вопросами. Пытается ли это движение представить свой собственный, более человечный бренд глобализации, с налогообложением глобальных финансов, с большей демократией и прозрачностью в международном управлении? Или это движение против централизации и делегирования власти, в принципе, столь же недоброжелательное к левой, трафаретной на все случаи жизни идеологии, как и к алгоритму "Мак-Правительства", замешанного на форумах типа Давосского? Кричать приветствия самой возможности другого мира — это, конечно, здорово, но является ли целью конкретный другой мир, уже существующий в воображении, или, как выражаются запатисты, "мир с возможностью многих миров в нем"?

Консенсуса по этим вопросам не было. Одни группы, из числа связанных с политическими партиями, тянули в сторону объединенной международной организации или партии и хотели, чтобы форум издал официальный манифест, который смог бы стать наброском правительственных программ. Другие, работающие в стороне от традиционных политических направлений и часто прибегающие к активным действиям, отстаивали не столько объединенный взгляд, сколько универсальное право на самоопределение и культурное многообразие.

Атила Роке был одним из тех, кто страстно утверждал, что форуму не следует пытаться издать единый набор политических требований. “Мы стараемся разрушить единообразие мышления, а этого не сделать внедрением другого единообразного образа мышления. Честно говоря, я не скучаю по временам, когда мы все состояли в коммунистической партии. Мы можем достичь более высокой степени консолидации наших программ, но я не думаю, что гражданскому обществу следует стараться организоваться в партию”.

В результате конференция не говорила единым голосом; одного официального заявления не было, а были десятки неофициальных. Вместо всеобъемлющих проектов политических перемен были фрагменты местных демократических альтернатив. Движение безземельных крестьян устроило делегатам однодневную экскурсию по вновь занятым бесхозным землям, используемым для долговременной культивации. Да и вообще, живой альтернативой представал сам город Порто Алегре — пример активной демократии, изучаемый во всем мире. В Порто Алегре демократия — это не рутинное занятие с избирательными бюллетенями, а активный процесс, идущий на расширенных заседаниях в городской ратуше. Центральным пунктом платформы Рабочей партии является так называемый "активный бюджет" — система, предусматривающая прямое участие граждан в распределении скудных городских ресурсов. Через комитеты — уличные и специальные, по отдельным проблемам — жители напрямую голосуют за то, какие мостить дороги, какие строить поликлиники. Эта передача власти вниз привела в Порто Алегре к результатам, которые прямо противоположны глобальным экономическим тенденциям. Например вместо урезания социальных услуг, как это происходит практически везде, город существенно их увеличивает. А вместо вселенского, до небес цинизма и неучастия в выборах — демократическая активность граждан, растущая с каждым годом.

"Этот город строит новую модель демократии, при которой люди не передоверяют управление государству, — сказала на форуме британская писательница Хилари Уэйнрайт. — Вопрос в том, как распространить это на национальный и глобальный уровни".

Может быть, посредством трансформации антикорпоративного движения в продемократическое, которое защищает право местных сообществ планировать и управлять — своими школами, своей водой, своей экологией. В Порто Алегре самой убедительной реакцией на всемирный провал представительной демократии стали именно радикальные формы активной местной демократии — в городах и поселках, где абстрактные понятия глобальной экономики становятся повседневными проблемами бездомности, загрязнения воды, переполненных тюрем и безденежных школ. Конечно, это невозможно без учета национальных и международных стандартов и ресурсов. Из всемирного социального форума органично рождается не движение за единственную глобальную форму правления (несмотря на все усилия некоторых организаторов), а видение все более связанной международной сети инициатив непосредственно с мест, каждая из которых строится на прямой демократии.

Демократия стала темой обсуждения не только на семинарах и в секциях, но и в кулуарах, и на шумных ночных митингах в молодежном кемпинге. Здесь предметом было не то, как демократизировать всемирное управление или хотя бы муниципальный процесс принятия решений, а нечто гораздо более близкое к телу — зияющий "демократический дефицит" на самом Всемирном социальном форуме.

Казалось бы, форум был неслыханно открытым: всякий желающий мог участвовать как делегат — никаких ограничений на число участников. И любой группе, желавшей провести семинар или мастерскую, в одиночку или совместно с другой, достаточно было лишь предоставить оргкомитету формулировку темы — прежде чем будет напечатана программа.

Но таких семинаров шло порой до шестидесяти одновременно, тогда как в событиях на основной площадке, где была возможность обратиться сразу к тысяче и более делегатов, главенствовали не протестные энтузиасты, а профессионалы-политологи и профессура. Одни участвовали заинтересованно, другие же выглядели болезненно отсутствующими: после восемнадцати и более часов полета на форум мало кто нуждался в напоминании, что "глобализация — это пространство для полемики". Не пошло на пользу и то обстоятельство, что в секциях доминировали люди за пятьдесят, и в подавляющем большинстве — белые. Николя Булляр, заместитель директора бангкокского Focus on the Global South ("Фокусировка на глобальном Юге"), полушутя сказал, что открывавшая форум пресс-конференция "выглядела как Тайная вечеря — двенадцать человек со средним возрастом 52 года". Не самой выдающейся была также идея сделать VIP-зал, анклав покоя и роскоши исключительно для приглашенных, из стекла. Раздражение таким неприкрытым разделением на категории среди разговоров о народовластии стало наглядно проявляться примерно тогда же, когда в молодежном кемпинге кончился запас туалетной бумаги.

Эти промахи символизировали собой проблемы покрупнее. Организационная структура форума была настолько неясна, что никто не мог понять, как принимаются решения, или найти способы их оспорить. Не было открытых пленарных заседаний, на которых голосованием решалась бы процедура очередных мероприятий. И поскольку отсутствовала прозрачность, то шла жестокая закулисная брендовая война между неправительственными организациями (NGO): за то, чьим звездам чаще бывать на трибуне и выглядеть лидерами всего движения, за доступ к прессе.

На третий день недовольные делегаты принялись делать то, что они умеют лучше всего: протестовать. Были шествия и манифесты — не менее полудюжины. Осажденных организаторов форума обвиняли во всех грехах — от реформизма до расизма. Делегаты от "Антикапиталистической молодежи" (The Anti-

Capitalist Youth) осуждали их за непонимание той роли, какую играют в движении активные действия. В своем манифесте они назвали конференцию “подлогом” — мол, лояльный демократический словарь увел от бурных дискуссий о классах. PSTU, отколовшаяся от бразильской PT фракции, начала прерывать речи о возможности другого мира громким скандированием “Другого мира не будет, если не сломать капитализм и не ввести социализм” (на португальском это звучало гораздо лучше).

Какие-то из этих претензий были несправедливы. Форум впитал в себя чрезвычайно широкий спектр воззрений, и именно это многообразие сделало конфликты неизбежными. Сведя вместе группировки столь различных воззрений на власть — профсоюзы, политические партии, NGO, анархистов уличного протеста, реформаторов-аграриев, — Всемирный социальный форум всего лишь сделал наглядным то поверхностное натяжение, которое всегда столь очевидно на тонкой оболочке перенасыщенного воздушного шара.

Но другие претензии были правомерны и простирались далеко за рамки конкретной конференции. Как в этом “движении движений” могут приниматься решения? Кто, например, решает, какие “представители гражданского общества” пройдут за колючую проволоку в Давосе, пока остальных участников протеста будут брандспойтами отгонять подальше? Если Порто Алегре был анти-Давосом, почему некоторые из наиболее видных лиц оппозиции “диалогизировали” в Давосе?

И как нам определить, в чем наша цель: настаивать на “социальных пунктах” в трудовых и экологических статьях международных соглашений или пытаться срывать сами эти соглашения? Эта полемика — до недавнего времени чисто академическая в силу огромного сопротивления социальным пунктам со стороны бизнеса — ныне актуальна. Лидеры индустрии США, в том числе Caterpillar и Boeing, активно лоббируют увязку торговых статей с трудовыми и экологическими не потому, что они хотят повысить стандарты, а потому, что видят в этом ключ к выходу из патовой ситуации в Конгрессе США по вопросу о президентских полномочиях вести торговые переговоры в режиме "сверхскоростных трасс". Так вот, настаивая на социальных пунктах, не помогают ли ненароком профсоюзы и защитники природы продвижению таких переговоров, процессу, который, кроме всего прочего, откроет двери приватизации таких социальных услуг, как водоснабжение, и более агрессивной охране лекарственных патентов? Нужно ли добавлять что-то в эти торговые соглашения или, напротив, исключать из них целые сектора — воду, сельское хозяйство, продовольственную безопасность, лекарственные патенты, образование, здравоохранение? Вальден Белло, исполнительный директор Focus on the Global South, в этом вопросе категоричен: "ВТО нереформируема, — сказал он на форуме, — и непростительная трата денег — толкать ее к реформам. Трудовые и экологические статьи в договорах только придадут весу и без того мощной организации".

Предстоят серьезные дебаты о стратегии и действиях, хотя и трудно понять, как такие дебаты смогут разворачиваться, не затормаживая движения, самой сильной стороной которого доныне была динамика. Анархистские группы, хотя они и фанатично заинтересованы в действиях, склонны противиться попыткам структурировать или централизовать движение. "Международный форум по глобализации" (The International Forum on Globalization) — мозговой трест североамериканской составляющей движения — недостаточно прозрачен при принятии решений и не подотчетен широкому составу организации, хотя самые видные его члены и отчитываются. Тем временем NGO, которым следовало бы сотрудничать друг с другом, вместо этого конкурируют за паблисити и финансирование. А традиционные организации, базирующиеся на членстве, вроде партий и профсоюзов, низведены на роли статистов в этих обширных паутинах активизма.

Возможно, настоящим уроком Порто Алегре стал вывод, что демократию и подотчетность необходимо сначала вырабатывать на более управляемых уровнях — в местных сообществах и коалициях, в рамках отдельных организаций. Без этого фундамента мало надежды на демократический процесс, когда десять тысяч активистов с сумасшедшим разбросом убеждений оказываются вместе в одном университетском кампусе. Одно стало ясно: если то "про", на которое эта многоликая коалиция может опереться, — это "про-демократия", то демократия в рамках самого движения должна сделаться высокоприоритетной задачей. "Призыв к мобилизации", прозвучавший в Порто Алегре, отчетливо провозгласил: "Мы бросаем вызов элите и ее недемократическому процессу, который символизируется Всемирным экономическим форумом в Давосе". И большинство делегатов соглашались, что не дело просто кричать: "Элитизм!" — из стеклянной теплицы или из стеклянной VIP-гостиной.

Несмотря на откровенно смутьянские эпизоды, Всемирный социальный форум закрылся на такой же эйфористичной ноте, на которой и открывался. Были приветственные клики и скандирование, и громче всего после сделанного оргкомитетом объявления, что Порто Алегре будет принимать у себя форум и в будущем году. Самолет из Порто Алегре в Сан-Паулу 30 января был заполнен делегатами, облаченными в брендовые шмотки конференции — футболки, бейсбольные фуражки — и с брендовыми чашками и сумками в руках. И на всех вещах утопический лозунг: “Другой мир возможен”.

В этом не было ничего необычного — так, пожалуй, бывает после любой конференции — но мне бросилось в глаза: сидевшая через проход от меня пара все еще не отколола с груди именные аккредитовки форума. Как будто они хотели еще побыть в этом мире мечты, пусть несовершенном, прежде чем расстаться и пересаживаться на рейсы — в Ньюарк, Париж, Мехико, и опять погрузиться в суету клерков, сумок от Gucci из магазинов duty-free и биржевых новостей по CNN.

Восстание в Чьяпасе

Субкоманданте Маркос и запатисты устраивают революцию, которая полагается больше на слова, чем на пули

Март 2001

Месяц назад я получила электронное послание от Грега Руджеро, издателя *Our Word Is Our Weapon* (“Наше слово — наше оружие”), собрания сочинений субкоманданте Маркоса, человека, являющегося голосом Запатистской армии национального освобождения в мексиканской провинции Чьяпас. Руджеро писал, что запатистские коммандос собираются идти караваном на Мехико и что это событие “эквивалентно маршу Мартина Лютера Кинга на Вашингтон”. Я без конца перечитывала эту фразу. Отрывок из речи Кинга “У меня мечта” я слышала, наверное, десять тысяч раз, правда, большей частью в рекламе инвестиционных фондов или в кабельных новостях. Я росла после того, как история закончилась, и не могла вообразить, что могу увидеть Исторический (с большой буквы) момент, сопоставимый с тем.

Следующее, что я осознавала, — я висела на телефоне: бронировала билеты на самолет, отменяла встречи, приводя дикие оправдания, бормоча что-то о запатистах и Мартине Лютере Кинге. Плевать, что во всем этом было мало смысла. Я знала одно — я должна быть в Мехико 11 марта, когда Маркос и запатисты торжественно войдут в город.

Теперь пора признаться, что в Чьяпас я не попала. Я так и не совершила паломничества в джунгли Лакандона. Я ни разу не сидела в грязи и тумане Ла Реалидад. Я не просила, не умоляла, не упрашивала допустить меня к субкоманданте Маркосу, человеку в маске, безликому лицу Запатистской армии национального освобождения Мексики. Я знаю людей, которые это проделали. Множество. В 1994 году, летом, после запатистского восстания, рейды в Чьяпас были повальным увлечением североамериканских активистских кругов: друзья собирались вместе, доставали денег на подержанный микроавтобус, набивали его всякой всячиной, вели на юг в Сан Кристобаль де лас Касас и там оставляли. Тогда я не очень за этим следила. Тогда запатистская мания казалась подозрительно похожей на очередное правое дело для левых с комплексом вины, зараженных латиноамериканским фетишизмом: очередная марксистская повстанческая армия, очередной крутой лидер и — очередная возможность съездить на юг и купить цветастых тканей. Разве мы уже не слыхали подобных историй? Разве они не заканчивались плохо?

Но в этом запатистском марше есть что-то особенное. Во-первых, он не заканчивается в Сан Кристобаль де лас Касас; там он начинается, пересекает вдоль и поперек всю страну и только тогда прибывает в Мехико. Ведут караван, прозванный мексиканской прессой “запатур”, двадцать четыре запатистских командира в полной форме и в масках (но без оружия), включая самого субкоманданте Маркоса. Поскольку для запатистского командования выезжать за пределы Чьяпаса — дело неслыханное (а на всем пути их ждут мстители, грозящие Маркосу смертоносными дуэлями), то запатур нуждается в плотной охране. Красный крест от этого задания отказался, так что защиту предоставляют несколько сот активистов из Италии, называющих себя “¡Ya Basta!” (то есть “С нас довольно!”) — согласно энергичному выражению, использованному в запатистском объявлении войны. (В итоге охрану осуществляли местные организации.) Сотни студентов, мелких фермеров и активистов влились в шествие, и многие тысячи приветствовали его по пути. В отличие от тех ранних приезжих в Чьяпасе, эти говорят, что они здесь не из-за “солидарности” с запатистами, а потому, что они сами запатисты. Некоторые даже называют себя самим субкоманданте Маркосом: к полному недоумению расспрашивающих журналистов, они говорят: “Мы все Маркос”.

Вероятно, только человек, никогда не снимающий маски и скрывающий свое настоящее имя, мог повести этот караван нонконформистов, бунтарей, одиноких волков и анархистов в этот двухнедельный поход. Это люди, научившиеся держаться подальше от харизматических лидеров с безразмерной, на все случаи жизни идеологией. Это не партийные лоялисты; это члены группировок, гордящиеся своей автономией и отсутствием иерархии. А Маркос со своей черной шерстяной маской, пронзительным взглядом и трубкой похож на антилидера, скроенного специально для этого подозрительного, остро критического народа. Он не только отказывается открыть лицо, тем самым подрывая (но одновременно и усугубляя) собственную известность, но и история его — это история человека, пришедшего к лидерству не играя уверенными козырями, а преодолевая политические неопределенности, учась следовать за другими.

Мало что известно об истинной личности Маркоса, но самая часто повторяющаяся из сопутствующих ему легенд утверждает: городской интеллектуал-марксист и активист Маркос разыскивался властями, и появляться в городах ему было небезопасно. Исполненный революционной риторики и убежденности, он бежал в горы Чьяпаса на юго-востоке Мексики, чтобы там приобщить бедные туземные массы к делу вооруженной пролетарской революции против буржуазии. Он говорил, что пролетарии всех стран должны соединяться, а индейцы майя оставались безучастны. Они не пролетарии, и потом, земля — это не чья-то собственность, это сердце сообщества. Потерпев провал в качестве марксистского миссионера, Маркос погрузился в культуру майя. Чем больше он узнавал, тем меньше знал. Из этого процесса родилась армия нового типа, EZLN, Запатистская армия национального освобождения, которой управляли не элитные полевые командиры, а сами сообщества — через подпольные советы и открытые собрания. "Наша армия, — говорит Маркос, — сделалась вопиюще индейской". Это означает, что он был не командиром, изрыгающим приказы, но субкоманданте, проводником воли советов. Его первыми словами в этом новом образе были: "Через меня говорит воля Запатистской армии национального освобождения". Еще далее принижая свою роль, Маркос говорит тем, кто ищет с ним встречи, что он не лидер, что его черная маска — это зеркало, в которой каждый видит отражение собственных борений, что запатист — это каждый, кто борется с несправедливостью где бы то ни было, что "мы — это вы". Самое его знаменитое высказывание одному журналисту: "Маркос — голубой в Сан-Франциско, черный в Южной Африке, азиат в Европе, чикано в Сан-Исидро, анархист в Испании, палестинец в Израиле, индеец майя на улицах Сан Кристобаля, еврей в Германии, цыган в Польше, могавк в Квебеке, пацифист в Боснии, одинокая женщина в метро в 10 часов вечера, крестьянин без земли, член банды в трущобах, безработный рабочий, несчастный студент и, конечно, запатист в горах".

"Это анти-эго, — пишет Хуана Понсе де Леон, редактировавшая труды Маркоса, — дает Маркосу возможность стать представителем туземных общин. Он прозрачен, и он иконографичен". И однако же, парадокс Маркоса и запатистов в том, что, несмотря на маски, анти-эго, таинственность, все в их борьбе противоположно анонимности, все в ней касается права быть увиденными. Когда запатисты в 1994 году взялись за оружие и сказали "¡Ya Basta!", это был бунт против их невидимости. Как и многие другие, отверженные глобализацией, майя Чьяпаса выпали из экономической карты: "Там, внизу, в городах, — говорится в приказе EZLN, — мы не существовали. Наши жизни ценились меньше, чем станки, чем животные. Мы были как камни, как придорожная трава. Мы были принуждены молчать. Мы были безлики". Вооружаясь и прикрываясь масками, объясняли запатисты, они не вливаются в какую-то там вселенную людей без индивидуальности, сражающихся за общее дело, — они принуждают мир перестать игнорировать их долю, увидеть их давно не замечаемые лица. Запатисты — это "голос, который вооружается, чтобы быть услышанным. Лицо, которое прячется, чтобы быть увиденным". Тем временем сам Маркос — как бы анти-эго, проводник, зеркало — пишет таким личностным и поэтичным, совершенно безошибочно своим собственным тоном, что постоянно подтачивает и подрывает ту анонимность, которая исходит от его маски и псевдонима. Часто говорят, что лучшим оружием запатистов был Интернет, но их истинное тайное оружие — язык. В "Наше слово — это наше оружие" мы находим манифесты и воинственные кличи, которые одновременно и поэмы, и легенды, и джазовые мелизмы. Из-под маски выглядывает характер, индивидуальность. Маркос — революционер, который: пишет длинные медитативные письма о смысле молчания уругвайскому писателю Эдуардо Галеано, называет колониализм "серией скверных анекдотов, скверно рассказанных", цитирует Льюиса Кэррола, Шекспира и Борхеса. Маркос пишет, что сопротивление имеет место "всегда, когда любой мужчина или любая женщина доходят в своем возмущении до такой точки, когда готовы сорвать с себя одеяния, которые соткала для них покорность, а в серый цвет выкрасил цинизм". И затем он рассылает смешливые эксцентричные телеграммы всему "гражданскому обществу": "СЕРЫЕ НАДЕЮТСЯ ПОБЕДИТЬ ТЧК СРОЧНО ТРЕБУЕТСЯ РАДУГА".

Маркос, похоже, остро осознает себя как неотразимого романтического героя. Это персонаж типа Изабель Альенде, только наоборот — не бедная крестьянка, ставшая марксистским повстанцем, а марксист-интеллектуал, ставший бедным крестьянином. Он играет этим персонажем, флиртует с ним, говоря, что не может открыть свою настоящую личность из страха разочаровать своих поклонниц. Опасаясь, быть может, что игра заходит слишком далеко, Маркос в этом году выбрал канун Валентинова дня, чтобы сообщить печальную новость: он женат и по уши влюблен, а ее имя — La Mar (“Море” — а как же иначе?).

Это движение, остро осознающее силу слов и символов. Запатистское командование в составе 24 человек сначала планировало совершить свой парадный вход верхом, как настоящие конкистадоры (в итоге они сидели в открытом кузове грузовика, наполненном сеном). Но их караван — больше, чем символика. Его цель — обратиться к мексиканскому Конгрессу и потребовать от законодателей принятия “Исконного билля о правах”, закона, родившегося в провалившихся мирных переговорах запатистов с бывшим президентом Эрнесто Зедильо. Висенте Фокс, его вновь избранный преемник, который во всеуслышанье хвастался во время избирательной кампании, что может разрешить проблему запатистов “в пятнадцать минут”, просит у Маркоса аудиенции, но пока получает отказы — пока, говорит Маркос, не принят закон, пока не выведено больше войск с запатистской территории, пока не освобождены все запатистские политические заключенные. Маркоса уже предавали, и он обвиняет Фокса в “симуляции мира” еще до возобновления мирных переговоров.

Во всей этой борьбе за положение ясно одно: в балансе власти Мексики произошло нечто радикальное. Запатисты заказывают музыку, и это знаменательно, потому что с привычкой приказывать “Огонь!” они расстались. То, что началось как небольшое вооруженное восстание, за последние семь лет превратилось в нечто похожее скорее на мирное массовое движение. Оно способствовало свержению стоявшей 71 год у власти коррумпированной Институционально-революционной партии и поставило права исконного населения в центр мексиканской политической повестки дня.

Вот почему Маркос сердится, когда его рассматривают как еще одного молодца с пистолетом: “Какие еще повстанческие силы собрали вокруг себя национальное демократическое движение, цивильное и мирное, так что вооруженная борьба стала бесполезной? — спрашивает он. — Какие еще повстанческие силы спрашивают у своего рядового состава о поддержке того, что они собираются делать, прежде чем это делать? Какие еще повстанческие силы борьбой добились демократического пространства и не взяли власть? Какие еще повстанческие силы полагаются больше на слова, чем на пули?”

Запатисты избрали 1 января 1994 года — день, когда вступило в силу Североамериканское соглашение о свободной торговле (NAFTA), — для того чтобы “объявить войну” мексиканской армии, начать восстание и ненадолго захватить город Сан Кристобаль де лас Касас и пять поселков в Чьяпасе. Они разослали коммюнике с объяснением, что NAFTA, запретившее субсидировать сельскохозяйственные кооперативы исконного населения, стало бы “безотлагательной казнью” для четырех миллионов исконных мексиканцев в Чьяпасе, беднейшей провинции страны.

К тому времени прошло почти сто лет с тех пор, как мексиканская революция пообещала вернуть коренным жителям исконные земли посредством аграрной реформы; после всех этих пустых обещаний NAFTA стало просто последней каплей. “Мы — порождение пятисот лет борьбы, но сегодня мы говорим “¡Ya Basta!” — с нас довольно!” Повстанцы назвались запатистами по имени Эмильяно Запаты, убитого героя революции 1910 года, который вместе с армией оборванцев-крестьян боролся за возврат земель от крупных землевладельцев коренным жителям и беднякам.

За семь лет после своего бурного выхода на сцену запатисты одновременно стали представителями разных движений: во-первых, повстанцев, сражающихся против убийственной нищеты и унижения в горах Чьяпаса, но сверх того, во-вторых, — теоретиков нового толка, иного способа мышления в вопросах власти, сопротивления и глобализации. Эта идеология — запатизм не только выворачивает наизнанку классическую партизанскую тактику, но и ставит с ног на голову немалую часть левого политического движения вообще.

Годами я наблюдаю, как запатистские идеи расходятся по активистским кругам, передаваемые через вторые и третьи руки — фразой, способом ведения митинга, метафорой, выкручивающей мозги. В отличие от классических революционеров, которые пропагандируют через мегафоны и с трибун, Маркос проповедует запатистское слово через притчи и долгие, заряженные паузы. Революционеры, которые не хотят власти. Люди, которые должны скрывать свои лица, чтобы быть увиденными. Мир со многими мирами в нем.

Движение с одним “нет” и многими “да”.

Запатистские формулы поначалу кажутся простыми, но не обманитесь. Они умеют зарываться в сознание, прорастать в неожиданных местах, повторяться, пока не приобретут некое качество истины — но не абсолютной истины, а истины, как сказали бы запатисты, со многими истинами в ней. В Канаде бунт коренных жителей всегда символизируется блокадой — физическим барьером, призванным остановить посягательство — например, поля для гольфа на индейское кладбище, — заблокировать губительное строительство плотины гидроэлектростанции или помешать вырубке девственного леса. Восстание запатистов стало новым способом защиты земли и культуры: вместо того чтобы запереться от мира, запатисты распахнули двери и пригласили мир войти. Чьяпас преобразился — несмотря на бедность и постоянную военную осаду, провинция стала глобальным местом встреч активистов, интеллектуалов и группировок аборигенов.

С самого первого своего коммюнике запатисты пригласили международное сообщество: "Наблюдайте и контролируйте наши битвы". В лето после восстания они принимали у себя в джунглях Национальный демократический съезд; присутствовали шесть тысяч человек, большинство из Мексики. В 1996 году они принимали у себя первую *Encuentro* (встречу) "За гуманизм и против неолиберализма". Около трех тысяч активистов приехали в Чьяпас со всего мира для встречи с другими активистами.

Сам Маркос — человек-паутина; это маниакальный коммуникатор, постоянно ищущий общения, улавливающий связи между самыми разными вопросами и предметами борьбы. Его коммюнике полны списков групп, которые, как он думает, являются союзниками запатистов: мелких лавочников, пенсионеров и инвалидов, и также рабочих и *campesinos* (фермеров). Он пишет политическим заключенным Мумии Абу-Джамалю и Леонарду Пелтиеру. Он переписывается с известнейшими латиноамериканскими писателями, пишет письма, адресованные "людям мира".

Когда началось восстание, правительство попыталось принизить смысл происходящего и представить его "локальной" проблемой, этническим спором, который легко удержать в рамках. Стратегической победой запатистов была смена терминологии: они настояли, что происходящее в Чьяпасе нельзя списать со счетов как узко "этническую" борьбу, что оно и конкретно, и универсально. Они сделали это, отчетливо обозначив своим врагом не только мексиканское государство, но и совокупность экономических мер, называемую неолиберализмом. Маркос утверждал, что нищета и отчаяние в Чьяпасе были лишь далеко зашедшим вариантом того, что происходит во всем мире. Он указал на огромное число людей, оставленных вне процветания, чьи земля и труд сделали это процветание возможным. "Новое мировое распределение исключает "меньшинства", — сказал Маркос. — Коренные жители, молодежь, женщины, гомосексуалисты, лесбиянки, цветные, иммигранты, рабочие, крестьяне — большинство, из которого составлен фундамент мира, представляется в глазах власти бросовым. Мировое распределение исключает большинство".

Запатисты устроили открытый мятеж, такой, к которому может присоединиться всякий, считающий себя аутсайдером, членом теневого большинства. По скромным оценкам, имеется сорок пять тысяч относящихся к запатистам веб-сайтов, базирующихся в двадцати шести странах. Коммюнике Маркоса можно прочитать как минимум на четырнадцати языках. И кроме того, существует запатистское надомное производство: черные футболки с красными пятиконечными звездами, белые футболки с напечатанным на спине EZLN. Есть бейсбольные фуражки, черные запатистские лыжные маски, сделанные индейцами майя куклы, выращенные ими овощи. Есть плакаты, в том числе с изображением всеми любимой команданте Рамоны, матриарха EZLN, — в образе Моны Лизы.

И внешнее воздействие запатистов далеко не ограничивается традиционной поддержкой и солидарностью. Многие из присутствовавших на первых *Encuentros* стали играть ведущие роли в протестах против Всемирной торговой организации в Сиэтле и Всемирного банка и МВФ в Вашингтоне, прибыв туда с новым вкусом к активным действиям, к коллективному принятию решений и децентрализованной организации.

Когда запатистский мятеж начался, мексиканские военные были убеждены, что смогут раздавить восстание в джунглях, как букашку. Они выслали туда тяжелую артиллерию, проводили воздушные налеты, мобилизовали тысячи солдат. Но вместо того, чтобы наступить на раздавленную букашку, правительство оказалось в окружении роя международных активистов, жужжащих вокруг Чьяпаса. По заказу Пентагона RAND Corporation изучает EZLN как "новый модус конфликта — "сетевую войну", поборники которой полагаются на использование сетевых форм организации, учения, стратегии и технологии".

Кольцо вокруг восставших не вполне защитило запатистов. В декабре 1997 года произошла зверская резня в Актеале, где были убиты сорок пять сторонников запатистов, находившихся на молитве в церкви, — большей частью женщины и дети. И ситуация в Чьяпасе по-прежнему отчаянная: тысячи людей изгнаны из своих домов. Но правда и то, что ситуация могла бы быть гораздо хуже, потенциально с гораздо более крупным американским военным вмешательством, если бы не международный нажим. Исследование, проводимое RAND Corporation, утверждает, что внимание антиглобалистского активизма проявилось как раз "в тот период, когда США могли тайно замышлять силовое сокрушение восставших".

Так что стоит спросить: какие идеи оказались настолько могущественными, что тысячи людей взялись сеять их по всему миру? Эти идеи имеют отношение к власти и к новым способам ее себе представлять. Например, идею о том, чтобы повстанцы поехали в Мехико для обращения к Конгрессу, несколько лет назад невозможно было и помыслить. Повстанцы в масках, входящие в залы политической власти, знаменуют собой только одно: революцию. Но запатисты не стремятся к свержению государственной власти или к провозглашению своего лидера президентом. Уж если на то пошло, они хотят, чтобы государственной власти над их жизнью было поменьше. Кроме того, Маркос говорит, что, как только будет заключен мир, он снимет маску и исчезнет. [*Когда запатисты наконец обратились к Конгрессу, Маркос остался снаружи.*]

Что же это значит — быть революционером, который не пытается устроить революцию? Это один из ключевых парадоксов запатистов. В одном из своих многочисленных коммюнике Маркос пишет: “Нет необходимости завоевывать мир. Достаточно сделать его новым”. И добавляет: “Нами. Сегодня”. Отличает запатистов от привычных марксистских повстанцев то, что их цель — не захватить контроль, а выстроить автономные пространства, где смогут процветать те самые “демократия, свобода и справедливость”.

Хотя запатисты и сформулировали определенные ключевые задачи своего сопротивления (контроль над землей, прямое политическое представительство и право охранять свой язык и культуру), они настаивают, что не заинтересованы в “Революции”, а стремятся к “некой революции, делающей революцию возможной”.

По убеждению Маркоса, то, чему он научился в Чьяпасе по части неиерархического принятия решений, децентрализованной организации и глубокой общинной демократии, содержит в себе советы и остальному миру — не только мира коренного населения, — если бы только тот пожелал слушать. Запатисты — организация, которая не делит общество по разрядам — на рабочих, воинов, фермеров и учащихся, а стремится организовать сообщество как целое, пересекая границы секторов и поколений, создавая “социальные движения”. Для запатистов такие автономные зоны — это не изоляционизм или отстранение в стиле шестидесятых. Наоборот, Маркос убежден, что свободные пространства, рожденные на вытребованных обратно землях, с общественным сельским хозяйством, с противодействием тотальной приватизации, в конечном итоге создадут противовес государству просто благодаря своему альтернативному бытию. В этом сущность запатизма, во многом объясняющая его привлекательность: глобальный призыв к революции, который велит тебе не ждать революции, а всего лишь начать там, где стоишь, сражаться собственным оружием. Это может быть видеокамера, слова, идеи, "надежда" — "все это, — писал не раз Маркос, — тоже оружие". Это революция в миниатюре, которая говорит: "Да, ты можешь попробовать это дома". Эта организационная модель распространилась по Латинской Америке и миру. Ее можно увидеть в *centri sociali* (социальных центрах) — анархистских вертепах Италии; в бразильском Движении безземельных крестьян, которое захватывает полосы бесхозной земли и использует их для эколого-культурного ведения сельского хозяйства, для рынков и школ под лозунгом: *Ocupar, Resistir, Producir* (занимай, не уступай, производи). Эти же идеи о мобилизации экономически отверженных пронизывают аргентинское движение Piquetero — организации безработных, которых голод заставил находить новые способы добиваться уступок от государства. В противоположность традиционным пикетам (фабрику, которая уже закрыта, не заблокируешь), piqueteros блокируют дороги, ведущие в города, часто на недели останавливая транспортные потоки и доставку товаров. Политикам приходится приходить на дорожные пикеты и вести переговоры, и piqueteros систематически добиваются базовых пособий по безработице для своих членов. Аргентинские piqueteros (которых часто можно увидеть щеголяющими в футболках EZLN) убеждены, что в стране, где 30% населения сидит без работы, профсоюзы должны начинать организовывать сообщества людей, а не только рабочих. “Новая фабрика — это весь квартал”, говорит лидер Piquetero Луис Д’Элья.

Идеалы запатистов со всей силой выразили и студенты Национального независимого университета Мексики, когда в прошлом году захватили и долго удерживали его кампус. Эмильяно Запата в свое время произнес: “Земля принадлежит тем, кто ее обрабатывает”. На транспаранте студентов сияло: “МЫ ГОВОРИМ: УНИВЕРСИТЕТ ПРИНАДЛЕЖИТ ТЕМ, КТО В НЕМ УЧИТСЯ”.

Запатизм, согласно Маркосу, это не учение, а *интуиция*. И он сознательно старается взывать к чему-то вне интеллекта, к чему-то нециничному в нас, что он нашел в себе, живя в горах Чьяпаса, — это чувство чудесного, отказ от неверия плюс миф и магия. И вот, вместо издания манифестов, он старается пробраться туда с помощью долгих медитаций, полетов фантазии, мечтаний вслух. Это в некотором смысле похоже на интеллектуальную партизанскую войну: Маркос не сталкивается с противником на его условиях, он меняет тему разговора.

Вот почему, когда я прибыла в Мексику на события 11 марта, я увидела нечто отличное от того великого исторического момента, какого ожидала после получения того послания. Когда запатисты вошли на Зокало, площадь перед законодательным собранием — с подбадривавшей их двухсоттысячной толпой, история действительно делалась, но это была меньшая история, со строчной буквы, более скромная, чем та, которую видишь в черно-белых кинодокументах. История, которая говорит: “Я не могу делать для вас вашу историю. Но я могу сказать вам, что история — ваша, делайте ее”.

Самыми воодушевленными сторонниками запатистов в те дни были женщины среднего возраста — демографическая группа, которую американцы любят называть “футбольными мамашами”. Они приветствовали революционеров скандированием “Вы не одни!”. Некоторые из них работали в столовых “фаст-фуд” и вышли в своих полосатых униформах во время обеденного перерыва поприветствовать запатистов.

Для отстраненного взгляда запатистская атрибутика — сорок вариантов политических футболок, плакаты, флаги и куклы — может показаться массовым маркетингом, радикальным превращением древней культуры в модный бренд. Вблизи, однако, это ощущается иначе — как аутентичный и анахроничный фольклор. Запатисты доносят свое послание не через рекламу или политические спичи, а через рассказы и символы, через настенную живопись, через молву — из уст в уста. Интернет, который имитирует эти естественные сетевые процессы, просто подхватил этот фольклор и разнес по миру.

Слушая обращение Маркоса к толпам в Мехико, я поражалась тому, что он вещал не как политик на демонстрации и не как проповедник с кафедры, а как поэт на крупнейшем в мире вечере поэзии. И тогда меня осенило: Маркос на самом деле не Мартин Лютер Кинг; он очень современный потомок Кинга, рожденный в горько-сладком браке видения и необходимости. Этот человек в маске, называющий себя Маркосом, — потомок Кинга, Че Гевары, Малькольма Икса, Эмильяно Запаты и всех других героев, которые проповедовали, чтобы потом быть застреленными один за другим, оставив после себя *тела* последователей, слоняющиеся повсюду, слепые и потерянные, потому что лишились головы. И в их лице мир получил новый тип героя, такого, который слушает больше, чем говорит, который проповедует загадками, а не затверженными истинами, лидера, который не показывает лица и говорит, что его маска — это зеркало. И в запатистах нам дана не одна мечта о революции, а революция, видящая сны. "Вот какой сон мы видим, — пишет Маркос, — парадокс запатистов — сон, который прогоняет сон. Единственный сон, который видят бодрствуя, без сна. История, которая рождается и выкармливается снизу".

Социальные центры Италии

В самовольно занятых складских строениях открываются окна демократии

Июнь 2001

У женщины с длинными волосами с прокуренным голосом вопрос. “Как вам это место? — спрашивает она через переводчика. — Похоже на безобразное гетто или что-то, может быть, прекрасное?”

Вопрос был каверзный. Мы сидели в полуразвалившейся берлоге в одном из наименее живописных пригородов Рима. Стены этого приземистого здания покрывали граффити, под ногами хлюпала грязь, а вокруг возвышались недобрые громады социального жилья. Если бы хоть один из двадцати миллионов туристов, наводнявших Рим в прошлом году, свернул бы не туда и очутился здесь, он тут же залез бы в свой путеводитель и умчался в поисках хоть какого-нибудь сооружения со сводчатым потолком, фонтанами и фресками. Но тогда как останки одной из самых властных и централизованных империй в истории старательно охраняются в центре Рима, то именно здесь, на бедных городских окраинах, можно бросить взгляд на новую, живую политику.

Берлога, о которой идет речь, называется Корто Чиккуито, и это один из многих итальянских *centri sociali.* Социальные центры — это заброшенные здания — склады, фабрики, военные базы, школы, которые занимают скваттеры (самовольные жильцы) и превращают в культурные и политические “узлы”, нарочито свободные и от рынка, и от государственного контроля. По некоторым оценкам, таких социальных центров в Италии насчитывается 150.

Самый крупный и старый из них, *Леонкавалло* в Милане, — практически самодостаточный город с несколькими ресторанами, садами, книжным магазином, кинотеатром, крытым залом для скейтбординга и клубом, столь вместительным, что там выступала гастролировавшая в городе рэп-группа Public Enemy. Это — ставшие редкостью богемные пространства в быстро наращивающем солидность мире, что подвигнуло французскую газету Le Monde назвать их “итальянской жемчужиной культуры”.

Но социальные центры — нечто большее, чем место, куда можно пойти в субботу вечером. Они также эпицентр растущей политической воинственности в Италии. В них культура и политика легко смешиваются: дебаты об активных действиях превращаются в огромную уличную тусовку, а пирушка по соседству — в митинг о вовлечении работников индустрии “фаст-фуд” в профсоюзы.

В Италии эта культура развилась из нужды. Наблюдая политиков — как левых, так и правых, — погрязших в коррупционных скандалах, очень многие из итальянской молодежи вполне резонно заключили, что коррумпирует сама власть. Сеть социальных центров — это параллельная политическая сфера, которая не стремится захватить государственную власть, а предоставляет альтернативные государственным услуги — такие как детские сады и юридическое представительство беженцев, —

одновременно выступая против государства посредством активных действий.

Например в тот вечер, когда я была в римском Корто Чиккуито, поданные на общем ужине лазанья и салат “капрезе” были встречены с особым энтузиазмом, потому что были приготовлены поваром, только что вышедшим из тюрьмы после ареста на антифашистской демонстации. А накануне в миланском центре “Леонкавалло” я наткнулась на нескольких членов Tute Bianche (“Белые комбинезоны”), склонившихся над цифровыми картами Генуи в подготовке к назначенной на июль 2001 года встрече G8. Группа активных действий, чье название соответствует униформе, которую ее члены надевают на акции протеста, только что “объявила войну” встрече в Генуе.

Но такие декларации — не самое шокирующее из происходящего в социальных центрах. Гораздо неожиданнее то, что эти антиавторитаристские воители, по определению отвергающие партийную политику, начали баллотироваться на выборах — и побеждать. В Венеции, Риме и Милане среди членов муниципальных собраний есть сейчас видные активисты социальных центров, в том числе лидеры Tute Bianche.

Поскольку у власти находится правая Forza Italia Сильвио Берлускони, им надо защищаться от тех, кто хотел бы закрыть их центры. Но Беппе Качча, член Tute Bianche и муниципального собрания Венеции, говорит, что переход к муниципальной политике есть также и естественная эволюция теории социального центра. Национальное государство в кризисе, аргументирует он, оно ослаблено перед лицом глобальных сил и коррумпировано перед лицом корпоративных. Одновременно в Италии, как и в других индустриальных странах, сильные региональные настроения в направлении большей децентрализации узурпированы правым крылом. Качча предлагает стратегию двузубца: противостоять неподотчетным, непредставительным властям глобального уровня (например на встречах G8) и одновременно перестраивать политику в более подотчетную и активную — с участием масс — на местах (где социальный центр встречается с муниципальным собранием).

Что возвращает меня к вопросу, заданному мне в пригороде мумифицированного имперского Рима. Хотя с ходу ответить трудно, но все же социальные центры — не гетто. Они — окна, не только в другой, отдельный от государства способ жить, но и в новую политику участия. И, да, они *что-то, может быть, прекрасное*.

Ограниченность политических партий

Подъем от протеста к власти должен строиться от земли вверх

Декабрь 2000

Я никогда не вступала ни в какую партию, ни разу не была на политическом съезде. На последних выборах, когда меня за волосы приволокли к урне, меня свалила боль в животе, даже более острая, чем у моих друзей, которые просто сжевали свои бюллетени. Так почему же я вдруг обнаруживаю, что соглашаюсь с тем, что нам нужен новый политический альянс, объединяющий канадские прогрессивные силы, даже новая партия?

Подобные вопросы обсуждаются во всех странах, где левые партии бессильно барахтаются, но активизм идет в гору — от Аргентины до Италии. Канада не исключение. Ясно одно: левая, как она составлена сегодня — ослабевшая и неэффективная Новая демократическая партия (NDP) [канадские социал-демократы], и нескончаемая череда уличных протестов, — это средство драться, как сумасшедшие, чтобы все было не так плохо, как было бы без того. Но все равно весьма плохо.

Последние четыре года стали свидетелями волны политической активности и воинственного протеста. Студенты блокируют торговые совещания, где политики торгуют будущим. В селениях *первых народов*, от острова Ванкувер до Бернт-Черч в провинции Нью-Брансуик, растет число требующих для себя права контроля над лесами и рыбным промыслом; людям надоело ждать, когда Оттава выдаст разрешение, уже продиктованное судами. Коалиция Онтарио по борьбе с нищетой занимает в Торонто здания и требует для бездомных жилья — это является правом всех канадцев.

Нет недостатка в организационных процессах, радикальных и базирующихся на принципах, но чтобы превратить все это в координированную политическую силу, одного расширенного "охвата" со стороны все тех же игроков мало. Надо начать с чистого листа, систематически выявлять свой потенциальный электорат — тех, кто более всех страдает при нынешней экономической модели и уже самым решительным образом организуется против нее, — и с этой базы строить политическую платформу.

Я подозреваю, что такое видение будет не очень похоже на нынешнюю платформу NDP. Прислушайтесь к наиболее отверженным — экономически и социально — канадцам, и вы услышите нечто напрочь отсутствующее в левом крыле большой политики: глубокое недоверие к государству. Это недоверие основывается на живом опыте — придирки полиции к инакомыслящим и иммигрантам, кошмарные офисы социального обеспечения, неэффективные программы профессиональной подготовки, политическая продажность и коррупция, возмутительное разбазаривание природных ресурсов.

Проанализировав недовольство, направленное по всей стране против федерального правительства, NDP ответила лишь планом действий, направленным на совершенствование центрального управления. В ее представлении нет такой проблемы, которую нельзя было бы решить с помощью более сильной вертикали власти. Своим вечным нежеланием замечать потребность в местном контроле и заслуженный скептицизм в отношении централизованной власти NDP целиком уступила антиоттавские избирательные голоса правому крылу. Ведь теперь одна только жестко правая партия Канадский альянс предоставляет избирателям вне Квебека возможность "подать Оттаве сигнал" — пусть даже это будет всего лишь требование компенсации за низкопробную демократию в форме снижения налогов.

Национальная партия левого крыла могла бы сформулировать другое видение, которое будет основано на местной демократии и устойчивом экономическом развитии. Но, прежде чем это сможет произойти, левые должны уяснить себе, как канадцы видят правительство. Они должны прислушаться к голосам индейских резерваций и неиндейских сообществ, жизненно связанных с природными ресурсами, — там растет возмущение властями— федеральными и провинциальными — за нерадивое владение землей и океанами из своих городских офисов. Правительственные программы, призванные "развивать" регионы, полностью дискредитировали себя по всей стране. Федеральные инициативы подключить, например рыбаков к экотуризму или фермеров к высоким технологиям, воспринимаются как надуманные проекты, не отвечающие местным потребностям, а порой и губительные.

Недовольство головотяпным центральным планированием свойственно не только канадской сельской местности и, конечно, Квебеку. Населенные пункты городского типа по всей стране связывают вопреки их воле в мегаполисы, а больницы, в которых когда-то процветали самые передовые программы, укрупняют в неэффективные медицинские мануфактуры. А послушайте учителей, которым полуграмотные политики насильственно навязали стандартизованные экзамены, и вы услышите то же негодование на власть, до которой далеко, и тот же призыв — к местному управлению и более глубокой, повседневной демократии.

В основе всех этих недовольств — люди, видящие, как власть перемещается все дальше и дальше от мест, где они живут и работают, — к ВТО, к неподотчетным транснационалам, но также и к все более централизованным правительствам — национальному, провинциальным и даже муниципальным. Эти люди хотят не более просвещенного центрального планирования, они хотят рычагов, как финансовых, так и демократических, чтобы самим управлять своей судьбой, использовать свои знания и опыт, выстраивать многообразные экономические структуры, которые по-настоящему устойчивы. И идей у них хватает.

Жители западного побережья острова Ванкувер призывают к созданию банков рыболовных лицензий — учреждений, которые сохраняли бы рыболовные права на местах, а не продавали бы Оттаве и корпоративным флотилиям. Тем временем рыбаки — и из коренного населения, и из некоренного — в обход Министерства рыбного промысла и океанов стараются спасти семужный промысел, восстанавливая места нереста и охраняя инкубатории. В других районах Британской Колумбии говорят о локальных лесозаготовительных лицензиях: об изъятии государственных земель из пользования транснациональными лесозаготовительными компаниями, которые заинтересованы лишь в валовой вырубке, и передачи управления лесами в руки местных сообществ.

Даже в Ньюфаундленде, давно уже зачисленном Оттавой в разряд регионов-получателей социальной помощи, во время выборов 2000 года раздавались голоса о пересмотре федерализма с целью обретения контроля над богатыми энергетическими резервами провинции и того, что осталось от рыбного промысла. Это еще сигнал — от вождей племени инуитов, полных решимости добиться, чтобы прибыли потенциальных нефте- и газодобытчиков, когда те снова придут на их земли, направлялись на развитие региона, а не только на обогащение транснациональных корпораций.

Эти спонтанные, возникающие снизу идеи и эксперименты во многом являются антитезисом модели свободной торговли, которую проталкивают федеральные либералы и согласно которой увеличение иностранных инвестиций — это ключ к нашему процветанию, даже в обмен на наши возможности осуществлять демократическую власть. Эти сообщества хотят противоположного: полноценного местного управления, чтобы они могли делать больше с меньшими затратами.

Это видение также предоставляет четкую альтернативу антиммигрантским и местническим настроениям, которые используют популисты правого крыла. Конечно, снижение налогов и козлы отпущения — неплохие утешительные призы, если больше предложить нечего. Но у нас в стране вполне очевидно живет глубокое желание и дальше действовать коллективно, собрать в один котел ресурсы и знания и построить что-то лучшее, чем то, чего мы достигли как индивидуумы. Это предоставляет левым огромные возможности, но они совершенно не используются NDP и социал-демократическими партиями по всей Европе. Сейчас на политическом ландшафте открывается широкое пространство для новой политической коалиции, которая бы видела в призывах к локализации не страшную угрозу национальному единству, а структурные элементы объединенной — и многообразной — культуры. В этих призывах к самоопределению, низовой демократии и экологической стабильности содержатся частицы нового политического видения, охватывающего многих канадцев, которые никогда раньше не были представлены так называемой левой партией.

В настоящее время у нас есть федеральные партии, которые стремятся удерживать монолит страны против ее воли, и региональные партии, стравливающие страну с самой собою на ее собственный страх и риск. А нужна политическая сила, способная показать нам не различия, но связи между этими видами борьбы за локализацию.

Это означало бы выбросить вон некоторые самые базовые идеи традиционных левых по части того, как обустроить страну. Ведь нить, которая связывает муниципальные права с рачительным управлением ресурсами, и также суверенитет Квебека с туземным самоуправлением, — это не “более сильное централизованное государство”. Это желание самоопределения, экономической устойчивости и активной демократии.

Децентрализация власти не означает отказа от высоких национальных и международных стандартов и от стабильного, справедливого финансирования — в здравоохранении, образовании, доступности жилья и защите окружающей среды. Но она означает, что лозунг левых необходимо сменить с "больше финансирования" на "власть низам" — в городах, резервациях, школах, лесных поселках, на рабочих местах.

Объединение понимающих все это сил поможет устранить назревающие конфликты между коренными и некоренными жителями, между профсоюзами и защитниками среды, между городскими и сельскими сообществами, а также между белым лицом канадской левой партии и более темным — канадской бедности. Для преодоления этих разделений нужна не новая политическая партия — во всяком случае, пока, — а новый политический процесс с достаточной верой в демократию, чтобы из него мог родиться политический мандат.

Создание такого процесса — трудный и долгий проект. Но дело того стоит. Ибо именно в связях этих давно игнорируемых вопросов и не нанесенных на карту сообществ могут быть найдены контуры мощной, истинно новой политической альтернативы.

От символов к сущности

После 11 сентября как никогда нужны конкретные альтернативы и религиозному, и экономическому фундаментализму

Октябрь 2001

В Торонто, городе, где я живу, борцы за право на жилье опровергли доводы о том, что антикорпоративный протест умер 11 сентября. Они сделали это, "заблокировав" на прошлой неделе деловую часть города. Это не была благопристойная демонстрация: на плакатах, оповещавших о событии, изображения небоскребов были обведены красным — периметр назначенной зоны активных действий. Как будто 11 сентября и не было вовсе. Конечно, организаторы знали, что целить в офисные здания и биржи сейчас не слишком популярно, особенно в часе лёта от Нью-Йорка. Но ведь Коалиция Онтарио по борьбе с нищетой (Ontario Coalition Against Poverty, OCAP) и до 11 сентября была не очень популярной. Последняя акция этой политической группировки включала в себя "символическое выселение" министра провинции по жилищному обеспечению из его офиса (его мебель вынесли на улицу), так что можете себе представить, какую поддержку в прессе они тогда получили.

И в других отношениях 11 сентября мало что изменило для OCAP: ночи по-прежнему становятся все холоднее, рецессия столь же грозна. 11 сентября не изменило того обстоятельства, что многие этой зимой умрут на улицах, как умерли прошлой и позапрошлой, если только не будут немедленно найдены дополнительные места для ночлега.

Но для других группировок, более, может быть, оглядывающихся на общественное мнение, 11 сентября меняет многое. По крайней мере в Северной Америке кампании, которые нацелены — даже мирно — на мощные символы капитализма, оказываются помещенными в предельно трансформированный семиотический ландшафт. Ведь атаки 11 сентября были актами реального и ужасающего террора, но также и актами символической войны, мгновенно как таковые и понятыми. По словам многих комментаторов, башни-близнецы были не просто зданиями, они были "символами американского капитализма".

Конечно, трудно доказать, что самый разыскиваемый Америкой уроженец Саудовской Аравии и миллионер что-то имеет против капитализма (и даже очень сомнительно, если принять во внимание довольно внушительную глобальную экспортную сеть Усамы бен Ладена, начиная от товарного земледелия и кончая нефтяной трубой). И все же движению, которое одни называют "антиглобалистским", а другие "антикапиталистическим" (а я склонна неуклюже называть просто "движением"), трудно избежать обсуждения символики — всех их антикорпоративных знаков и знамений: логотипов, ставших жертвой глушения культуры, партизанского слога их высказываний, выбора брендовых названий и политических мишеней, всего того, что составляет господствующую в движении метафорику. Многие политические противники антикорпоративного активизма используют символику атак на Всемирный торговый центр и Пентагон в качестве довода, что молодые активисты, играя в партизанскую войну, оказались застигнуты реальной войной. В газетах всего мира уже появляются некрологи; типичный заголовок — "Антиглобализм — это безнадежно вчерашний день". Движение, согласно газете The Boston Globe, "лежит в развалинах". Так ли это?

Наш активизм уже не раз объявляли умершим. Собственно говоря, его с постоянством ритуала объявляют умершим накануне и после каждой массовой демонстрации: наши стратегии якобы дискредитированы, наши коалиции раздроблены, наши доводы несостоятельны. А демонстрации тем временем растут — от 50 000 участников в Сиэтле до 300 000, по некоторым оценкам, в Генуе.

В то же время было бы глупо притворяться, будто после 11 сентября ничего не изменилось. Это особенно поразило меня недавно, когда я просматривала слайд-шоу, которое я составляла тогда — перед атаками. Тема: как антикорпоративная образная система все более абсорбируется корпоративным маркетингом. Так, один слайд показывает группу активистов, распыляющих краску на витрину Gap во время протестов против ВТО в Сиэтле. На следующем слайде — недавнее оформление витрины Gap с собственным граффити — написанным краской из распылителя словом "независимость". Далее — кадр из игры Sony PlayStation "Чрезвычайное положение": крутые анархисты швыряют камни в мерзких спецполицейских, защищающих фиктивную "Американскую торговую организацию". Все, что я вижу сейчас, — это как 11 сентября вмиг затмило все эти мгновенные снимки "войны образов", сдуло как ветром, как игрушечные автомобили и прочие декорации на съемочном макете фильма о катастрофе.

Несмотря на изменения в политическом ландшафте — или благодаря им, — слайд-шоу хранит память о том, почему это движение вообще выбрало для себя символическую борьбу. Решение ОСАР "закрыть" деловую часть города возникло из очень конкретного набора обстоятельств. Как и многие другие, старающиеся вынести вопросы экономического неравенства на политическую повестку дня, люди, которых представляет эта организация, чувствовали себя выброшенными, оставленными вне парадигмы, исчезнувшими, а потом восстановленными уже в качестве проблемы попрошаек и мойщиков автостекол у светофоров — проблемы, которая требует нового жесткого законодательства. Они осознали, что противостоять им приходится не какому-то местному политическому противнику или даже конкретному трудовому закону, но некой экономической парадигме — невыполненному обетованию дерегулированного капитализма с просачиванием благ сверху вниз.

Отсюда и трудность современного активизма: как организовать борьбу против идеологии столь всеобъемлющей, что у нее нет краев, настолько вездесущей, что кажется, будто ее нет нигде? Где находится место сопротивления для тех, чьи рабочие места ликвидируют, чьи поселения постоянно выкорчевывают? За что нам хвататься, когда столь многое из того, что могущественно, — одновременно и виртуально: торговля валютой, котировки акций, интеллектуальная собственность и закулисные торговые соглашения?

Коротким ответом на это — во всяком случае до 11 сентября — было: хвататься за все, что попадется под руку, — брендовый имидж известного транснационала, биржа, встреча мировых лидеров, отдельное торговое соглашение. Все, что хотя бы ненадолго делает неосязаемое реальным, сводит необъятность к какому-то человеческому масштабу. Короче говоря, находить символы и надеяться, что они станут метафорами для перемен.

Например, когда США начали торговую войну против Франции за то, что та посмела запретить приправленную гормонами говядину, Жозе Бове и Французская конфедерация фермеров привлекли к себе внимание мира не воплями об импортных пошлинах на рокфор. Они просто "стратегически демонтировали" McDonald's.

За последнее десятилетие многие активисты усвоили, что "белое пятно" в международных делах, которое существует для многих западных людей, можно закрыть, если привязывать кампании протеста к известным брендам, — эффективное, хотя часто и проблематичное, оружие против замкнутости людей на своих повседневных делах. Эти антикорпоративные кампании, в свою очередь, открыли непарадные двери в закулисный мир международной торговли и финансов, Всемирной торговой организации, Всемирного банка и поселили у некоторых сомнения в самом капитализме.

Но эти приемы и сами оказались легкой мишенью. После 11 сентября политики и политиканы всего мира мгновенно начали представлять террористические атаки как часть континуума антиамериканского и антикорпоративного насилия: сначала —

вперед, на витрины Starbucks, а дальше, надо полагать, — на Всемирный торговый центр?! Редактор журнала New Republic Питер Бейнарт ухватился за единственное послание в интернетном антикорпоративном чате, в котором спрашивалось, не совершил ли атаки "один из нас". Бейнарт заключил, что "антикорпоративное движение... это отчасти движение, движимое ненавистью к Соединенным Штатам" — что аморально, когда США подвергаются нападениям. Дальше всех в приравнивании протестующих к террористам пошел Реджинальд Дейл в The International Herald Tribune: "Хотя они и не ставят перед собой конкретных задач убийства тысяч ни в чем не повинных людей, участники протестов, которые хотят сорвать совещания МВФ или ВТО и т.п., стремятся проводить свою политическую программу устрашением, а это — классическая цель терроризма".

В разумном мире атаки террористов, вместо разжигания такой внутренней реакции, подняли бы вопрос: почему, например разведывательные службы США тратили столько времени, шпионя за Reclaim the Streets и Independent Media Centres, а не за террористическими сетями, готовящими массовые убийства. К сожалению, представляется очевидным, что наступление на активизм, начавшееся еще до 11 сентября, станет только более мощным — с усиленным надзором, инфильтрацией и полицейским насилием. Сентябрьские атаки могут, боюсь, стоить движению некоторых его политических побед. Фонды, предназначенные для кризиса СПИДа в Африке, исчезают, и обещания расширить прощение долгов, скорее всего, последуют за ними. Теперь иностранная помощь используется как подмазывание стран, записывающихся на американскую войну.

А свободную торговлю, общественное восприятие которой давно уже переживает кризис, теперь по-быстрому "перебрендируют", как шопинг или бейсбол, в патриотический долг. Согласно торговому представителю США Роберту Зеллику, миру нужна новая кампания по "борьбе с терроризмом с помощью торговли". В опубликованной журналом The New York Times Magazine статье Майкл Льюис, пишущий о бизнесе, подобным же образом сплавляет воедино идеалы свободы и "свободной торговли": погибшие в торговом центре, считает он, были избраны мишенью "не просто как символы, но и как деятели свободы...Они напряженно, пусть и не осознавая этого, работают ради освобождения других от уз. Это делает их, почти по умолчанию, духовной противоположностью религиозного фундаментализма, который в своей деятельности полагается на отрицание личной свободы во имя некой подразумеваемой высшей силы".

Так проводится линия фронта: кто за торговлю — тот за свободу, кто против торговли — тот за фашизм.

Все в нашем движении — наши гражданские права, наши достижения, наши обычные методы деятельности — ставится под вопрос. Но этот кризис открывает и новые возможности. Как замечали уже многие, задача, стоящая перед движениями за социальную справедливость, состоит в том, чтобы продемонстрировать, что справедливость и равенство суть самые устойчивые средства противостоять насилию и фундаментализму. Что это означает на практике? Ну как что! Американцы очень быстро поняли, что значит иметь настолько перегруженную систему народного здравоохранения, которая не в силах справиться с сезоном гриппа, — куда там с атакой сибирской язвы. И несмотря на десятилетия обещаний предохранить водоснабжение США от террористических атак, перегруженное Управление по защите окружающей среды почти ничего не делает. А продовольственное снабжение уязвимо еще больше: инспектора способны проверять лишь около 1% продовольственного импорта — этим вряд ли успокоишь разрастающийся страх перед "агротерроризмом".

В этой "войне нового типа" террористы пользуются в качестве оружия нашей разваливающейся государственной инфраструктурой. Это верно в отношении не только высокоразвитых стран типа США, но и бедных, где фундаментализм быстро распространяется. Туда, где долги и война разрушили инфраструктуру, фанатичные богатые "добрые дядюшки" типа бен Ладена способны влезать и предоставлять базовые услуги, которые должны были бы быть задачей правительства, — дороги, школы, поликлиники, даже основные санитарные услуги. Дорогу в Судане, позволившую построить нефтепровод "Талисман", который качает природные ресурсы правительству для его брутальной этнической войны, построил бен Ладен. Экстремистские исламские семинарии в Пакистане, промывшие мозги столь многим лидерам талибов, процветают именно потому, что заполняют собой огромный пробел в социальном обеспечении. В стране, которая тратит 90% своего бюджета на армию и обслуживание долгов и лишь кроху на образование, медресе предоставляют не только бесплатные классы, но и пищу и приют для детей бедняков.

В попытках понять распространение терроризма — на север и на юг — вопросы инфраструктуры и государственного финансирования обойти не удастся. А что отвечают на это политики? Да все то же: налоговые льготы для бизнеса и все большая приватизация услуг. В тот же день, когда появился заголовок на первой полосе The International Herald Tribune: "Новая линия террористического фронта: место сортировки почты", — было объявлено, что правительства Европейского Союза согласились открыть частной конкуренции свои рынки доставки почты.

Дебаты о том, какого рода глобализации мы хотим, — отнюдь не "вчерашний день", они как никогда актуальны. Многие политические группировки в своих кампаниях теперь переформулируют свою аргументацию в терминах "общей безопасности" — достойное похвалы противоядие узкой охранной ментальности границ-крепостей и бомбардировщиков B-52, которые пока что демонстрируют на изумление хилые результаты по защите кого бы то ни было. Впрочем, нельзя быть наивными и полагать, будто очень реальная угроза дальнейшего уничтожения ни в чем не повинных людей исчезнет благодаря одним только политическим реформам. Социальная справедливость нужна, но нужна справедливость и в отношении жертв этих атак и эффективное предотвращение новых. Терроризм — действительно угроза на международном уровне, и начался он не с нападения на США. Многие сторонники бомбардировок Афганистана поддерживают их все же неохотно: для кого-то бомбы представляются просто единственным доступным оружием, пусть и жестоким, поражающим неточно. Но такое отсутствие вариантов есть отчасти результат неприятия Америкой целого спектра более точных и потенциально эффективных международных рычагов. Например — постоянно действующего международного уголовного суда, против которого США выступают из опасения, что их собственные герои войны окажутся обвиняемыми. Или — всеобъемлющего соглашения о запрете ядерных испытаний. Здесь тоже тупик. И — всех прочих соглашений, которые США отказались ратифицировать: о противопехотных минах, о стрелковом оружии и о столь многом другом, что помогло бы нам справиться с такими глубоко милитаризованными государствами, как Афганистан. В то время как Буш зовет мир вступить в американскую войну в обход ООН и международных судов, мы, участники этого движения, должны стать страстными защитниками истинно многосторонних отношений и раз навсегда отвергнуть ярлык "антиглобализации". "Коалиция" Буша — не представитель истинно глобальной реакции на терроризм. Интернационализация внешнеполитических задач одной страны — отличительная черта внешней политики США и в переговорах ВТО, и в Киото. Мы можем заявить об этом не как антиамериканисты, а как подлинные интернационалисты.

И так ли уж отличается поток взаимной помощи и поддержки в ответ на трагедию 11 сентября от гуманитарных целей, к которым стремится наше движение? Уличные лозунги — "Люди прежде прибыли" и "Этот мир не продается" — стали на волне атак самоочевидными, нутром чуемыми истинами для многих. Звучат вопросы: почему деньги, направляемые на поддержку авиакомпаний, не достаются работникам, теряющим места? Растет озабоченность непредсказуемостью, которой чревата торговля без государственного регулирования. Идет мощный рост престижа всевозможных работников государственного сектора. Короче говоря, "народное" — государственная сфера, общественное благо, все, что можно назвать некорпоративным, — как бы заново открывается, и где — в США!

Те, кто добивается перемен в умах (а не просто выигрышных доводов), могут воспользоваться моментом и распространить эти гуманные реакции на многие другие сферы, где людские потребности должны превалировать над корпоративными доходами — от лечения СПИДа до бездомности.

Для этого потребуется радикальная перемена стратегии активистов на такую, которая будет базироваться более на сущности, чем на символах. К счастью, это уже происходит. Уже более года как во многом символические акции у дверей саммитов и протесты против отдельных корпораций ставятся под вопрос в рамках самого движения. Многое в войне символов представляется им неудовлетворительным; ну разбили витрину McDonald's, ну перенесли совещания в более отдаленное место — ну и что? Все равно, это лишь символы, фасады, образное представление.

Еще и до 11 сентября в воздухе нарастало новое настроение нетерпения, желание выставить на первый план социальные и экономические альтернативы, зрящие в корень несправедливости — от земельной реформы и репараций за рабовладение до активизации демократии.

После же 11 сентября задача стала еще более ясной: необходимо изменить дискурс, вращающийся вокруг расплывчатого понятия глобализации, на конкретные дебаты о демократии. В период "беспрецедентного процветания" многим странам во всем мире говорят, что у них нет иного выбора, как только сокращать затраты на народные потребности, аннулировать законы о труде, отменять меры по защите окружающей среды — это уже обреченные барьеры на пути незаконной торговли — и отнять финансирование у школ. Все это якобы необходимо для того, чтобы эти страны были готовы к торговле, привлекательны для инвестиций, конкурентоспособны на мировом уровне.

Нынешняя задача — сопоставить эйфористические обещания глобализации (что она принесет всеобщее процветание, более высокое развитие и больше демократии) с реальными результатами таких мер. Нам необходимо доказать, что глобализация — данный вариант глобализации! — строится за счет локального благополучия, человеческого и экологического.

Эту связь между глобальным и локальным слишком часто упускают из виду. Вместо нее у нас иногда можно наблюдать два изолированных активизма. С одной стороны, есть международные глобализационные активисты, которые сражаются как бы с дальними проблемами, не связанными с повседневными заботами людей. Поскольку они не выступают представителями локальных реалий глобализации, от них слишком легко отмахнуться как от замороченных студентов или профессиональных активистов. С другой стороны, есть тысячи местных организаций, ведущих повседневную борьбу за выживание или за сохранение самых элементарных социальных услуг. От их кампаний часто отмахиваются как от чисто локальных, даже незначительных, отчего большинство массовых активистов вполне понятно чувствуют себя обессиленными и деморализованными.

Единственный различимый путь вперед для этих двух сил — слиться воедино. То, что сейчас является антиглобализационным движением, должно превратиться в тысячи местных движений, которые боролись бы против того, чем оборачивается на деле неолиберальная политика — против бездомности, стагнации оплаты труда, непомерной квартирной платы, полицейского насилия, бурного роста тюрем, криминализации иммигрантов и беженцев, распада государственной школы и рискованного обращения с водоснабжением. В то же время, локальные движения, борющиеся против приватизации и дерегулирования на местах, должны сочленить свои кампании в некое большое глобальное движение, способное показать, как их конкретные проблемы вписываются в международную экономическую повестку дня, которую навязывают всему миру. Нужен политический каркас, который сможет наступать на корпоративную власть и контроль на международном уровне и также осуществлять организацию и самоопределение локально.

Ключ к этому процессу — создание политического дискурса, не боящегося многообразия и не стремящегося подогнать любое политическое движение под единую модель. Неолиберальная экономика на всех уровнях склоняется к централизации, консолидации, гомогенизации. Это война против многообразия. Чтобы противостоять ей, нам нужно движение, которое бы поощряло и яростно защищало право на многообразие: культурное, экологическое, сельскохозяйственное — и, да, политическое тоже, на разные способы заниматься политикой. Цель — добиться не лучших, но удаленных правил и правителей, а своей, близкой демократии на местах.

Чтобы достичь цели, нам надо освободить пространство для голосов — из Чьяпаса, Порто Алегре, Кералы, — показывающих, что можно бросать вызов империализму, храня при этом приверженность множественности, прогрессу и глубокой демократии. В 1998 году Бенждамин Барбер в своей книге *Jihad vs. McWorld* ("Джихад или Мак-мир") описал грядущую глобальную битву. Наша задача — как никогда настоятельная — показать, что нам доступны более чем два мира, выявить все невидимые миры между экономическим фундаментализмом "Мак-Мира" и религиозным фундаментализмом "джихада".

Силой этого *движения движений* было и остается то, что оно предоставляет реальную альтернативу гомогенизации и централизаций, характерным для глобализации. Ни один сектор, ни одна страна не может назвать его своим, ни одна интеллектуальная элита не может им управлять — и это его секретное оружие. По-настоящему многообразное глобальное движение, укорененное во всех тех местах, где абстрактная экономическая теория становится местной реальностью, не обязано присутствовать у дверей всех саммитов, биться лбом о несравненно более могущественные учреждения военной и экономической мощи. Вместо этого, оно может окружать их со всех сторон. Потому что, как мы видели, полиция может обрушиться войной на некий протест, может научиться его сдерживать, может выстраивать все более высокие заборы. Но нет такого забора, который сдержал бы настоящее общественное движение, потому что оно — повсеместно.

Возможно, "войны образов" подходят к концу. В прошлом году я посетила Орегонский университет — писала корреспонденцию об антипотогонном активизме в кампусе, который прозвали "Найки-универ". Там я познакомилась со студенткой-активисткой Сарой Джейкобсон. Nike, сказала она мне, — это не мишень ее активности, а инструмент, способ добраться до необъятной и часто аморфной экономической системы. "Это как первый косячок", — беззаботно сказала она.

Годами мы, участники этого движения, кормились символикой наших противников — их брендами, их офисными башнями, их показушными, окруженными фоторепортерами саммитами. Мы использовали их как призывные кличи для сбора под знамена, как точки сосредоточения, как популярные учебно-наглядные пособия. Но эти символы никогда не были реальными мишенями; они были рычагами, рукоятками. Эти символы были окнами. Пора через них пролезать.

Выражения признательности

Когда я решила собрать эти статьи и эссе в отдельную книгу, то делала это в надежде, что эта затея прибавит денег для организаций активистов, чьи труды на линии фронта и дают мне возможность писать. Мои агенты Брюс Вествуд и Николь Уинстенли подхватили эту надежду и превратили ее в реальность при экспертной поддержке Брайена Гера, Алисы Палмер и Клэйтона Руби. Я чрезвычайно благодарна моим англоязычным издателям, которые много потрудились, чтобы часть доходов от этой книги попала в Fences and Windows Fund, фонд, который соберет деньги на адвокатов для активистов и на просвещение публики в вопросах глобальной демократии. Луиз Деннис, Сюзан Роксборо, Филип Гуин Джонс и Фрэнсис Коуди с самого начала поддержали эту необычную идею.

По части редактуры я в величайшем долгу перед Деброй Леви. Кроме помощи в исследованиях при написании многих из этих материалов, Дебра взяла на себя руководство редактурой этого сборника, и проделала это с непоколебимой преданностью и чувствительностью как к общей картине, так и к мельчайшим деталям. Луиз Деннис мужественно устояла перед искушением потребовать полного переписывания, и вместо этого своей легчайшей рукой ухитрилась все изменить. Дальнейшее усовершенствование, полировку и перепроверку рукописи осуществили Дамиан Тарнопольски, Дейдра Молина и Алисон Рид, а дизайн сделал Скотт Ричардсон.

Мой муж Эви Льюис редактировал каждый материал по мере написания, сколько бы миль и часовых зон нас ни разделяли. Кайл Ямада заслуживает благодарности за личную и редакторскую подстраховку Дебры Леви. Мои родители, Бонни и Майкл Кляйн, тоже читали черновики и давали отзывы. Как видно из датировки статей, большую часть времени в последние два с половиной года я провела где угодно, только не дома. Эти скитания были возможны только потому, что моя коллега Кристина Мэгилл стояла на страже, расправляясь с любой тыловой проблемой с неимоверным спокойствием и изобретательностью.

Над собранными здесь статьями я работала со многими выдающимися газетными и журнальными редакторами. Это Патрик Мартин, Вал Росс и Ларри Оренстин из The Globe and Mail; Сюмас Милн и Кэтрин Вайнер из The Guardian; Бэтси Рид и Катрина ван ден Гейвель из The Nation; Джесси Гирш и Эндреа Шмидт из www.nologo.org; Джоэль Блэйфусс из In These Times; Майкл Альберт из Znet; Таня Молина из La Hornada; Хакан Йенссон из Aftonbladet; Джованни де Мауро из Internationale и Сандер Плейй из De Groune Amsterdaamer.

Идея о том, что для меня будет полезно вести рубрику в еженедельной газете в самые лихорадочные годы моей жизни, принадлежит Ричарду Эддису и Брюсу Вествуду. Должна признаться: стараясь изо всех сил успеть к сроку, посылая электронную почту с аэропортовских телефонов-автоматов, из наполненных слезоточивым газом общественных центров и переполненных отелей с их пульсовыми телефонами, я не раз усомнилась в их рассудительности. Теперь я вижу, что они мне дали: заставили написать еженедельную летопись одной замечательной главы нашей истории.

Источники

I. ОКНА ИНАКОМЫСЛИЯ

Статья "Сиэтл" впервые опубликована в The New York Times 2 декабря 1999 года.

Статья "Вашингтон: капитализм вылезает из шкафа. До." впервые опубликована в The Globe and Mail 12 апреля 2000 года.

Статья "Вашингтон: капитализм вылезает из шкафа. После." впервые опубликована в The Globe and Mail 19 апреля 2000 года.

Статья "Что дальше?" впервые опубликована в The Nation 10 июля 2000 года.

Статья "Прага: Альтернатива капитализму — не коммунизм, а децентрализованная власть" впервые опубликована в The Globe and Mail 27 сентября 2000 года.

Статья "Торонто: Активизм против нищеты и дебаты о насилии" впервые опубликована в The Globe and Mail 21 июня 2000 года.

II. ЗАБОРЫ ВОКРУГ ДЕМОКРАТИИ

Торговля и уступки

Статья "Зона свободной торговли американских государств" впервые опубликована в The Globe and Mail 28 марта 2001 года.

Статья “МВФ, убирайся к чертям!” впервые опубликована в The Globe and Mail 16 марта 2002 года.

Статья “Нет места для местной демократии” впервые опубликована в The Globe and Mail 28 февраля 2001 года.

Статья “Война профсоюзам” впервые опубликована в The Globe and Mail 17 января 2001 года.

Статья “Послужной список NAFTA” впервые опубликова в The Globe and Mail 18 апреля 2001 года.

Статья “Постскриптум после 11 сентября” впервые опубликована в The Globe and Mail 12 декабря 2001 года.

Статья “Заграждения на границах все выше” впервые опубликована в The Globe and Mail 22 ноября 2000 года.

Рынок проглатывает общую собственность

Статья “Генетически измененный рис” впервые опубликована в The Globe and Mail 2 августа 2000 года.

Статья “Генетическое засорение” впервые опубликована в The Globe and Mail 20 июня 2001 года.

Статья “Жертвенные агнцы ящура” впервые опубликована в The Globe and Mail 7 марта 2001 года.

Статья “Интернет как тусовка Tupperware” впервые опубликована в The Globe and Mail 8 ноября 2000 года.

Статья “Кооптирование инакомыслия” впервые опубликована в The Globe and Mail 31 мая 2001 года.

Статья “Экономический апартеид в Южной Африке” впервые опубликована в The Globe and Mail 21 ноября 2001 года.

Статья “Ядовитая политика в Онтарио” впервые опубликована в The Globe and Mail 14 июня 2000 года.

Статья “Слабейший фронт Америки” впервые опубликовна в The Globe and Mail 26 октября 2001 года.

III. ЗАБОРЫ ВОКРУГ ДВИЖЕНИЯ: КРИМИНАЛИЗАЦИЯ ИНАКОМЫСЛИЯ

Статья "Полицейские без границ" впервые опубликована в The Globe and Mail 31 мая 2000 года.

Статья "Упреждающий арест" впервые опубликована в The Globe and Mail 7 июня 2000 года.

Статья "Слежка" впервые опубликована в The Globe and Mail 30 августа 2000 года.

Статья "Разжигатели страха" впервые опубликована в The Globe and Mail 21 марта 2001 года.

Статья "Инфильтрация" впервые опубликована в The Globe and Mail 21 апреля 2001 года.

Статья "Слезоточивый газ для всех" впервые опубликована в The Globe and Mail 25 апреля 2001 года.

Статья "Фабрикация угроз" впервые опубликована в The Globe and Mail 5 сентября 2001 года.

Статья "Застряли в стадии зрелища" впервые опубликована в The Globe and Mail 2 мая 2001 года.

IV. КАК НАЖИВАЮТ КАПИТАЛ НА СТРАХЕ

Статья "Новые оппортунисты" впервые опубликована в The Globe and Mail 3 октября 2001 года.

Статья "Капиталисты-камикадзе" впервые опубликована в The Globe and Mail 7 ноября 2001 года.

Статья "Страшное возвращение великих мужей" впервые опубликована в The Globe and Mail 19 декабря 2001 года.

Статья "Америка — это вам не гамбургер" впервые опубликована в The Los Angeles Times 10 марта 2002 года.

V. ОКНА В ДЕМОКРАТИЮ

Статья "Демократизация движения" впервые опубликована в The Nation 19 марта 2001 года.

Статья "Восстание в Чьяпасе" впервые опубликована в The Guardian 3 марта 2001 года.

Статья "Социальные центры Италии" впервые опубликована в The Globe and Mail 7 июня 2001 года.

Статья "Ограниченность политических партий" впервые опубликвана в The Globe and Mail 20 декабря 2000 года.

Статья "От символов к сущности" впервые опубликована в The Nation 22 октября 2001 года.

ООО "Издательство "Добрая книга"
121615, Москва, Рублевское ш., 16-3-216.
Адрес для переписки / e-mail: mail@dkniga.ru

Подписано к печати 08.12.2004. Формат 60x78 1/16. Бумага офсетная.
Печать офсетная. Усл. печ. л. 16,47. Тираж 3000 экз. Заказ № 5384.

Отпечатано в полном соответствии
с качеством предоставленных диапозитивов
в ОАО "Можайский полиграфический комбинат"
143200, г. Можайск, ул. Мира, 93.